L'obsession de Jérôme Delisle

la courte échelle

Les éditions de la courte échelle inc.
5243, boul. Saint-Laurent
Montréal (Québec) H2T 1S4

Directrice de collection :
Annie Langlois

Révision :
Jean-Pierre Leroux

Infographie :
Folio infographie

Dépôt légal, 2e trimestre 2005
Bibliothèque nationale du Québec

La courte échelle reconnaît l'aide financière du gouvernement du Canada par l'entremise du Programme d'aide au développement de l'industrie de l'édition pour ses activités d'édition. La courte échelle est aussi inscrite au programme de subvention globale du Conseil des Arts du Canada et reçoit l'appui du gouvernement du Québec par l'intermédiaire de la SODEC.

La courte échelle bénéficie également du Programme de crédit d'impôt pour l'édition de livres – Gestion SODEC – du gouvernement du Québec.

Données de catalogage avant publication (Canada)

Lavigne, Guy

L'obsession de Jérôme Delisle

Réédition
(Jeune adulte ; JA001)
Publ. à l'origine dans la coll. : Roman+. C1993.

ISBN 2-89021-811-2

I. Titre. II. Collection.

PS8573.A854O27 2005 jC843'.54 C2005-940584-8
PS9573.A854O27 2005

Imprimé au Canada

Guy Lavigne

Né à Trois-Rivières, Guy Lavigne a exercé plusieurs métiers, dont celui de libraire. Aujourd'hui, en plus d'écrire, il accompagne, en tant que guide touristique, des voyageurs curieux aux quatre coins de la planète.

Grand amateur d'intrigues policières, il a publié quatre polars dans les collections Roman+ et Jeune adulte de la courte échelle. Quant à sa série Contes montréalais, elle se déroule en milieu urbain, car Guy Lavigne aime l'univers de la ville. Il faut dire qu'il affectionne particulièrement le quartier du Plateau-Mont-Royal où il a habité longtemps. Guy Lavigne est également l'auteur d'un roman policier pour les adultes et de plusieurs nouvelles.

Du même auteur, à la courte échelle

Collection Roman Jeunesse
Série Contes montréalais:
Dans la peau de Bernard
La maison du pendu
Les risques du voyage

Collection Roman+
Série Les dossiers de Joseph E.:
Pas de quartier pour les poires
La foire aux fauves

Collection Jeune adulte
Série Les dossiers de Joseph E.:
L'obsession de Jérôme Delisle
Mourir sur fond blanc

Guy Lavigne

L'obsession de Jérôme Delisle

la courte échelle

À Georges et à Vincent Lavigne,
mon père et mon fils

Je tiens à remercier
Anne-Marie L'Écuyer
pour son travail acharné de secrétaire
ainsi que Claude Lamoureux,
enquêteur privé,
pour ses judicieux conseils.

Chapitre 1

L'autopsie

Les gants en plastique transparent donnaient nettement l'impression d'être trop grands. Chose certaine, rien à voir avec ceux des chirurgiens qui s'étirent comme des condoms et qui font CLAC quand on les enfile. Ceux-là, une fois bien en place, lorsque la main se refermait sur elle-même, émettaient plutôt un COUIC de souris.

Bob Bélanger, dit Le Kid, ramassa de sa main gantée le scalpel et le porta à la hauteur de ses yeux pour en vérifier le fil.

— Qui est le sujet, cette fois ?

— Euh... Le numéro quatre, lui répondit une voix derrière lui.

— Ah oui... L'aide-pharmacien un peu nerveux... O.K., allons voir ce qu'il a dans le ventre.

Sans plus attendre, Le Kid se pencha sur la chose ventrue étendue sur la table. La lame de son scalpel s'enfonça dans la membrane verte, y pratiquant une ouverture aux lèvres bien nettes. Une odeur rance s'en échappa. Quand l'entaille eut une bonne longueur, Le Kid y plongea la main pour en ramener aussitôt un paquet de spaghettis gluants d'une couleur incertaine, entre le gris et le rose. Le Kid continua sa besogne en sifflotant un air à la mode.

Successivement, il sortit du flanc éventré une poignée d'une matière granuleuse brune, probablement du marc de café, un os de poulet, puis une boîte de conserve format familial sur laquelle on pouvait lire l'inscription « crème de brocoli ». La boîte métallique rouge et blanc regorgeait de papiers compressés et de mégots de cigarettes.

Le Kid laissa de côté le sac à ordures de l'aide-pharmacien, retira un par un les mégots et entreprit de déplier avec soin chaque bout de papier. Une odeur nauséabonde se répandit dans toute la pièce.

Joseph E., la voix derrière Le Kid, se racla la gorge.

— Batêche, ça pue ! Heureusement que tu es là, Le Kid, parce qu'à l'agence, à part toi, personne n'a le cœur assez solide pour fouiller dans ces maudits déchets-là.

Âgé de trente-huit ans, la barbe bien taillée, Bob Bélanger tirait son surnom de son mètre quarante ou quarante-cinq (selon qu'il chaussait des souliers ou des bottes de cow-boy). À moins que ce ne soit là le diminutif de Kid Kodak, étant donné son habileté à manier aussi bien l'appareil photo que la caméra vidéo. Bob Bélanger, en outre, était le *poubellologue* attitré de l'agence d'investigations Edelstein, Mercier & Fille.

L'enquête de Joseph E., que ses collègues appelaient J.E., et du Kid commençait, c'était le sixième sac à ordures à subir une autopsie. Dix autres s'alignaient au fond de la pièce.

Tous ces sacs, certains blancs et petits, d'autres verts et pansus, avaient été récupérés subrepticement avant le passage des éboueurs chez quelques employés d'une grande pharmacie aux prises avec une épidémie de fausses ordonnances. La direction de cet établissement, le client de l'agence, soupçonnait qu'au moins un de ses employés participait à ces forfaits.

Le Kid avait vidé la boîte de conserve et s'occupait d'une dernière boulette de papier.

— Bingo ! s'écria-t-il.

Oubliant l'odeur désagréable et la vue peu ragoûtante des divers détritus, Joseph E. bondit près du Kid. Celui-ci lui montra une feuille de papier froissée et tachée à l'en-tête d'un certain Dr Trottier.

Il s'agissait d'un formulaire dont se servent les médecins pour rédiger leurs ordonnances. Celui-ci était identique à ceux utilisés par les faussaires. Au lieu des noms savants de médicaments ou de substances contrôlées, on trouvait sur le papier une courte liste d'emplettes du style patates et beurre. L'aide-pharmacien avait commis une étourderie qui lui coûterait cher.

— Bon, je pense qu'avec ça, notre pharmacien n'aura pas de difficulté à confronter son crotté. Mon Kid, je te paie un lunch. Mais on sort d'ici au plus sacrant parce que je ne peux plus supporter cette odeur-là.

Comme des gamins tout à leur bonheur, les deux hommes se congratulaient quand s'ouvrit la porte du laboratoire. C'est ainsi qu'ils nommaient cette pièce.

— J.E., la patronne veut vous voir.

C'était la très respectable Mme Antoinette Dupras-Lapointe, réceptionniste et comptable de l'agence qui, après s'être pincé le nez, n'insista pas et quitta les lieux.

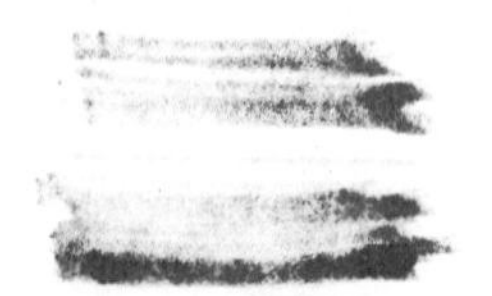

Chapitre 2

Des parents éplorés

Tout le monde se tut quand J.E. pénétra dans le bureau de la patronne. Instantanément, il sentit l'atmosphère lourde, propre aux drames familiaux.

À sa droite, près de la grande fenêtre ensoleillée, il vit un homme costaud, fin trentaine, barbe taillée, cheveux mi-longs et vêtements sport de qualité. Il tenait dans sa main (large et forte à l'image du bonhomme) une autre main plus délicate aux doigts nerveux.

Cette dernière, tremblante, appartenait à une femme un peu plus âgée que le monsieur. La femme portait un tailleur élégant et sobre, et ses yeux d'avoir trop pleuré tiraient sur le rouge.

À gauche de l'enquêteur, assise à sa place habituelle derrière son bureau, se trouvait la patronne, vêtue, elle aussi, d'un tailleur élégant et sobre. Cependant, un léger décolleté la rendait un peu plus provocante que la cliente. Et une chevelure abondante d'un roux éclatant lui tombait sur les épaules. Ce qui lui donnait un genre particulier et la faisait paraître à peine trente ans. Pourtant, la veille, avec ses cheveux courts gris et son chemisier à jabot, on lui en aurait donné au moins quarante-cinq.

La patronne changeait d'apparence plus souvent que la moyenne des caméléons.

— Joseph, je vous présente Mme Lessard et son mari, M. Pronovost. Il s'agit d'une localisation. Éric, le fils de madame, a fugué il y a deux jours et elle souhaiterait qu'on retrouve le jeune garçon.

Une fois déguisée en rousse fatale, la patronne allait droit au but. Les détails suivraient sous peu. Avec elle, l'habit faisait la nonne.

— Joseph E. est notre directeur des opérations, ajouta-t-elle à l'intention du couple qui regarda J.E. comme un sauveur.

J.E. estimait que le titre ronflant de « directeur des opérations » servait beaucoup plus à rassurer et à impressionner les clients qu'à calculer son salaire. Quant à lui, il se considérait comme un enquêteur, un point c'est tout.

— Monsieur E., mon fils n'est pas un mauvais garçon. C'est de ma faute si...

Le reste du discours de la femme se noya dans les pleurs. Lentement, les paroles incohérentes, comme les larmes, se tarirent. Dans le bureau, on n'entendait plus que la voix grave mais tendre de l'homme qui répétait sans cesse :

— Voyons, Carole... Voyons, Carole...

La patronne, qui, quelles que soient la couleur de ses cheveux et la longueur de ses jupes, avait toujours eu en horreur les mélodrames, toussa pour ramener l'attention vers elle.

— Bon, si vous le permettez, je vais résumer la situation au bénéfice de monsieur E.

J.E. apprit ainsi que Mme Lessard avait autrefois partagé sa vie avec Jérôme Delisle, le père naturel d'Éric. Jérôme, qui au début semblait un homme charmant, s'avéra un voyou aux prises avec de gros problèmes de drogue et de mauvaises fréquentations. Pour satisfaire son besoin de plus en plus pressant, Jérôme commit plusieurs vols.

Pis encore, au plus profond de son désespoir, il leva la main sur sa femme et sur son jeune fils. Quand Éric eut six ans et que son père visita une deuxième fois la prison, Mme Lessard décida de refaire sa vie ailleurs avec son fils.

Elle trouva un emploi dans une chaîne de boutiques de vêtements où elle devint après peu de temps directrice du marketing. Puis, il y a six ans, elle rencontra M. Pronovost...

Coup de foudre et tendre amour.

À ce moment du récit, l'investigateur se tourna vers la femme :

— Est-ce qu'Éric s'entend bien avec votre mari ?

Surprise par l'intervention de J.E., la femme regarda son compagnon puis l'enquêteur.

— Monsieur E., je crois que le mot « complicité » pourrait résumer la relation entre Éric et Georges.

— Écoutez, enchaîna l'homme, avec Éric, ça a cliqué dès le début.

— Joseph, intervint la patronne, dès que j'aurai fini de résumer la situation, je vous ferai écouter un message téléphonique laissé par Éric ce matin.

— Ainsi, monsieur, madame et le jeune Éric eurent une vie sans histoire jusqu'au jour où, il y a trois ans, Jérôme sortit de prison. Sans pour autant désirer reprendre la vie commune, il voulut revoir son fils.

Il eut beau affirmer avec insistance qu'il avait changé, Mme Lessard s'opposa fermement à ses visites. Mais Georges Pronovost fit comprendre à sa compagne qu'Éric avait sûrement besoin de sentir l'amour et l'intérêt de son père naturel. Petit à petit, le père et le fils reprirent contact et, depuis un peu plus de six mois, Éric allait même, à l'occasion, passer une fin de semaine chez son père.

— Dans le fond, l'angoisse m'assaillait toujours quand Éric était avec son père. Malgré ce que peut dire Georges, on ne change jamais tout à fait, vous savez.

J.E. sentit un voile de reproche dans la voix de la femme.

— Pourquoi s'est-il enfui de la maison ?

— Eh bien, voilà, reprit la femme qui semblait maintenant mieux maîtriser ses émotions, la semaine dernière on a retrouvé Jérôme: il avait été battu à mort. La presse a parlé d'un règlement de comptes entre voyous.

— Jérôme Delisle... fit J.E. d'un air songeur. Ah oui... Je me souviens d'avoir lu quelque chose sur lui dans les journaux.

Pendant un instant, un silence lourd et tendu figea les occupants du bureau.

— Alors..., que s'est-il passé avec Éric ? reprit J.E.

La femme frétilla sur son siège, rajusta le veston de son tailleur, serra le bras de son compagnon, puis plongea.

— J'ai fait une colère à Georges, une grosse... Je lui en voulais d'avoir insisté pour qu'Éric et Jérôme se revoient... J'étais tellement fâchée que j'ai traité Jérôme de tous les noms... Je crois avoir été odieuse. Mais le pire, c'est qu'Éric a tout entendu...

Pendant que Mme Lessard expliquait son drame, J.E. vit du coin de l'œil que la patronne insérait une mini-cassette dans un magnétophone. À l'instant où la femme acheva son récit, il entendit le CLIC de la mise en marche de l'appareil. Il comprit que la voix était celle d'Éric.

« Euh... Dans le fond, je trouve ça moins gênant de parler au répondeur plutôt qu'à vous... Georges, maman, je vous aime... Ne soyez pas inquiets. Maman, je sais que tu as déjà eu beaucoup d'ennuis à cause de papa Jérôme. C'est normal que tu ne puisses pas lui pardonner le mal qu'il t'a fait... Pour ça, il ne t'en voulait pas... Ce que tu ne comprends pas, c'est qu'il avait changé...

« Depuis quelque temps, il disait qu'il allait enfin se racheter après tout le tort qu'il avait fait. Maman, moi, je le sais, papa n'était plus un bandit... C'est impossible qu'il soit mort pour une histoire de drogue ou quelque chose de même... Je vais te le prouver... C'est mon père, après tout... Georges, maman, il ne faut pas m'en vouloir... Je vous aime... Salut ! »

CLIC... BZZZ...

— Madame, reprit tout de suite l'enquêteur, quand avez-vous reçu ce message ?

— Euh... Entre dix et onze heures ce matin. J'étais allée au centre commercial dans le fol espoir d'y retrouver Éric.

— Et où habitait son père ?

— À Xville*, j'ai l'adresse, dit-elle en indiquant un porte-documents à ses pieds.

— On verra ça plus tard. En attendant, pourquoi avez-vous recours à nos services, qui ne sont pas gratuits, plutôt que de faire appel à la police ?

---

* L'auteur aurait tout aussi bien pu baptiser cette ville du nom de Aville ou de Bville ou de Saint-Machin...

— Je... J'espère que vous êtes plus efficace qu'eux et... euh... à vrai dire, je serais incapable de voir mon fils, comme son père, menottes aux poignets entre deux policiers.

— De plus, monsieur E., ajouta le beau-père, l'argent, ce n'est pas un problème. Nous travaillons tous les deux, nous avons des économies et, s'il le faut, nous pouvons hypothéquer notre maison.

— J'espère que ce ne sera pas nécessaire, dit J.E. avec un petit sourire. Si, comme je le crois, votre fils vous a téléphoné de l'extérieur de la ville, nos services techniques n'auront pas de difficulté à le retracer. Nous avons nos... euh... entrées, mettons, à la compagnie de téléphone. Bon, cela dit, vous devez savoir que nous ne pouvons vous garantir les résultats de l'enquête. Nous pouvons cependant vous assurer qu'elle sera faite honnêtement, avec sérieux et célérité.

— Je sais, et je sais aussi que votre agence a une bonne réputation. Mon mari s'est informé.

J.E. se fit remettre des photos d'Éric (quatorze ans, un mètre soixante, quarante-cinq kilos, yeux clairs, cheveux châtains et courts avec une couette mauve) et l'adresse de Jérôme à Xville. Après une hésitation, il demanda une photo du père. Mme Lessard lui en donna une en noir et blanc, où l'on voyait au premier plan Éric avec un bâton de baseball, et derrière lui un homme qui visiblement lui apprenait à tenir l'objet. Les deux partageaient le même sourire naturel.

Quand les clients furent repartis, J.E. examina longuement la photo du père et du fils pour bien voir à quoi ressemble un homme qui prétend avoir changé. La chose l'intéressait au plus haut point parce que lui-même avait cette prétention. Revenant au fugueur, l'enquêteur marmonna:

— Mon petit bonhomme, j'espère que tu n'es pas trop débrouillard. Parce que si tu es en train de fricoter avec des tueurs et des trafiquants, tu es dans la merde jusqu'au cou...

Chapitre 3

Une photo troublante

Xville est une de ces municipalités qui se vantent d'être reine de ceci, porte de cela ou capitale de tel truc. À un peu plus de cent kilomètres de Montréal, c'est en fait un centre administratif de province au passé industriel moribond.

Ange Toussaint, la responsable des services techniques de l'agence, avait confirmé ce dont J.E. s'était douté dès le début : l'appel d'Éric provenait de l'appartement de son père.

Dans sa voiture, une Lynx grise à l'aspect banal, J.E. passa une deuxième fois rue Bourguignon devant la petite maison délabrée où avait habité le Jérôme en question. Tout le quartier montrait les stigmates d'un même cancer : peinture défraîchie, carreaux cassés remplacés par du carton, bois pourri et chaussée défoncée. Sans parler d'une odeur sulfureuse qui traînait ses miasmes dans l'air.

Il se gara à mi-chemin entre le logis et une intersection où une épicerie à la vitrine sale annonçait un rabais sur le bœuf haché et le jus de tomate. À l'horizon, un soleil chétif allait bientôt s'éteindre et mars changer de nom.

Dans la rue, échappant à la morosité, huit ou neuf enfants jouaient au hockey-bottine avec conviction. J.E. leur tourna le dos et se dirigea vers le 813.

Trois marches menaient à une galerie où quelques planches manquaient. J.E. y observa de courtes traces de boue près de la porte. Une maxime que l'on répète dans son métier affirme que la localisation d'un adolescent fugueur prend moins de deux jours ou plus de mille ans. Dans ce cas précis, la première proposition s'annonçait la bonne.

Comme la sonnette s'entêtait à demeurer muette, il frappa à la porte... Pas de réponse. À l'aide de deux petits outils, J.E. s'attaqua donc à la serrure. Elle ne lui résista pas longtemps.

L'appartement comprenait deux pièces doubles en enfilade le long d'un corridor au bout duquel trônait une antique fournaise à l'huile. Une agréable odeur de soupe au poulet flottait dans l'air. J.E. fit rapidement le tour des lieux. L'oiseau n'était pas au nid. Un fond de soupe encore tiède dans un chaudron sur la cuisinière lui apprit qu'il s'était envolé depuis peu, moins d'une heure à son avis.

Plus méticuleusement cette fois, l'enquêteur reprit l'inspection du logis. Dans la cuisine, un petit bol et une cuillère séchaient sur l'égouttoir. Près du lit sommairement fait, il trouva quelques vêtements bien pliés qui appartenaient au garçon et, dans la salle de bains, une brosse à dents encore humide reposait sur le lavabo. À n'en pas douter, le garçon était bien élevé et il s'était installé à demeure.

Pour tuer le temps, J.E. fureta encore dans l'appartement. Sur un pupitre, il découvrit deux livres consacrés au journalisme d'enquête. Le Jérôme ambitionnait-il de devenir reporter ? Ce n'était pas là une démarche très conforme à l'image d'un voyou. L'enquêteur se dit que tout ça ne le concernait pas, que son boulot consistait à retrouver le fils de Mme Lessard et que ce serait bientôt chose faite.

Il reposa les livres sur le pupitre. Derrière deux pots de confitures pleins de crayons et de stylos à bille, une photo dans un cadre de plastique attira son attention. Imprimée en noir et blanc, on y voyait Jérôme et Éric marchant main dans la main. Le garçon tournait la tête vers son père et celui-ci, bâton de baseball sur l'épaule, regardait devant lui. Sûrement une photo prise la même journée que celle que lui avait remise Mme Lessard.

Fasciné par la photo, J.E. essayait de qualifier le regard de Jérôme quand une impression l'envahit : l'homme de l'autre côté du papier glacé cherchait à lui dire quelque chose. Certes, c'était idiot, mais une sensation trouble s'empara de lui. Sa main droite plongea automatiquement dans le fond de sa poche et caressa l'acier froid et rassurant de son briquet Zippo.

Depuis qu'il ne buvait plus, c'était son fétiche. Superstitieux, il croyait qu'il lui suffisait de toucher son briquet comme un talisman pour chasser les démons du passé. Il détourna la tête et changea de pièce. Soulagé, sa gorge se desserra, le poids sur son estomac fondit.

Bof ! se dit-il, Éric reviendrait dans une heure, ou dans cinq heures... Chose certaine, il reviendrait. Puis l'odeur agréable de la soupe lui rappela qu'il n'avait pas mangé depuis le matin.

Il se souvint d'avoir vu, au centre-ville, un hôtel à l'apparence très correcte. Il y trouverait sûrement une bonne table. J.E. aimait bien gâter son palais, surtout grâce à son compte de frais... Il serait toujours temps d'attraper le fugueur.

Chapitre 4

Un monsieur bien énervé

Enfoncé dans un fauteuil très confortable, J.E. évalua à trente-quatre le nombre de bouteilles d'alcool derrière le bar. L'opération se heurtait à quelques embûches, puisque les bouteilles s'alignaient sur deux rangs serrés devant un miroir. Le Zippo dans sa main droite refit SLICK PLOCK. Il ne l'allumait pas, se contentant d'un tour du poignet de faire basculer le capuchon, puis de le refermer.

L'hôtel La Fayette disposait d'une salle à manger, mais hélas, elle était temporairement fermée, car on y effectuait des travaux d'ordre cosmétique.

Le lendemain, lui avait-on dit, la chambre de commerce y tiendrait un grand banquet en l'honneur de Japonais... Des investisseurs ou quelque chose du même acabit. En voyant la façon dont tout le monde courait autour de lui, J.E. comprit que l'événement avait son importance.

Seul derrière son comptoir, le réceptionniste, un homme âgé et bien mis, flottait au-dessus de tout ça. Il en avait vu d'autres... L'homme avait quand même daigné s'adresser à l'enquêteur pour lui conseiller le bar de l'hôtel où l'on pourrait lui préparer un sandwich.

SLICK PLOCK, que le diable emporte les gens d'affaires qui accaparent les restaurants !

L'endroit n'était pas vraiment laid, ni quétaine, mais il était tellement conventionnel : lumière feutrée, chaises cossues, tables basses et quelques clients discrets. Déjà vu, trop vu.

Ici, selon lui, seule la serveuse méritait le déplacement. Non, ce n'était pas une petite pépée affriolante, mais plutôt une personne jolie qui, surtout, n'avait pas l'air blasée.

D'ailleurs, elle arrivait justement avec son sandwich. J.E. rangea son Zippo.

— Voulez-vous d'autre café, monsieur ?

— S'il vous plaît, Irène.

Elle portait sur sa poitrine un insigne où était gravé son prénom. Mais elle arborait encore mieux un sourire santé et un regard intelligent.

J.E. s'imagina sans difficulté en train de faire avec elle un brin de causette autour d'un café...

Mais elle était serveuse, et un groupe assez bruyant entra dans le bar et l'interpella d'une façon presque militaire. Cela offusqua l'enquêteur, mais la fille, sans compromettre son service, semblait en mesure de se défendre. Elle gravit un échelon de plus dans l'estime de J.E.

Pour ne pas avoir les yeux toujours rivés sur la serveuse, l'enquêteur examina discrètement les clients dans la salle. Parce qu'il était turbulent, le groupe qui venait d'arriver attirait son attention. Il s'agissait de trois hommes complet-veston et de deux femmes assorties.

Quand Irène vint lui porter son troisième café, il ne trouva rien de mieux pour la retenir que de lui montrer la photo du père et du fils obtenue de Mme Lessard.

— Irène, connaissez-vous ce monsieur derrière le garçon ?

Elle regarda la photo noir et blanc d'un air sérieux.

— Non... Je ne pense pas.

Puis elle prit la photo des mains de J.E. et l'examina davantage. Cette fois, un sourire complice se dessina sur son beau visage. Devant ce brin d'arc-en-ciel, le cœur de l'enquêteur fit un petit BOUM au fond de sa poitrine.

— Je ne connais pas le gars, mais le jeune est un beau petit bonhomme.

— Il est bizarre, votre type. Il a un sourire radieux, mais ses yeux sont si tristes.

J.E. s'aperçut qu'un homme, futur chauve, s'était approché d'eux. Il s'agissait d'un des turbulents. Et, à la façon dont les autres s'étaient adressés à lui, il devait être leur chef.

— Dis donc, Irène, tu me l'apportes aujourd'hui ou demain, mon... ?

L'homme venait de remarquer la photo que tenait la fille. Sans ménagement, il la lui prit des mains.

— C'est à qui, ça ? dit-il sur un ton agressif en reluquant J.E.

— C'est à moi. Pourquoi ? Vous connaissez cet homme ?

— Es-tu journaliste ? Un de ces maudits journaleux à sensation ?

— Ça se pourrait, crut bon de mentir l'enquêteur.

Le front dégarni de l'homme prit une couleur foncée.

— Ici, à Xville, on n'a pas besoin de brasseurs de merde de ton genre.

Puis il lança la photo sur la table de J.E. avant de disparaître vers les toilettes.

J.E. fit en direction d'Irène un geste de la tête qui voulait dire : « Quelle mouche l'a piqué, celui-là ? », puis la fille se pencha vers son client.

— C'est Denis Robert, un gros industriel, une espèce de *big shot* de la place. Il n'est jamais bien agréable, mais là, avec les Japonais qui arrivent demain, ce n'est rien pour le ramener... Qui c'est, le gars sur la photo ?

— Bof ! Ce n'est plus important... Dites-moi, Irène, c'est quoi, cette histoire de Japonais ?

— Euh... Bitsubi, ou Bitsugi, ou quelque chose de semblable. Des gens qui veulent acheter des terrains pour y construire une grosse usine moderne de je ne sais pas quoi. En tout cas, ça a l'air d'énerver tout le monde. Ce n'en est même plus drôle.

Un peu plus tard, J.E. reprit un autre café. L'enquêteur se demandait bien pourquoi le Jérôme et les Japonais semblaient tant énerver l'impulsif M. Robert.

Chapitre 5

Un marché

Éric poussait devant lui à petits coups de pied une vieille boîte de conserve tout écrabouillée. Le geste n'avait rien d'enjoué, il exprimait plutôt un désabusement total. GUEDLING PETLING KLOCK. La boîte de fer-blanc dévia et se perdit sous une des voitures garées le long de la rue Bourguignon, un gros modèle américain à moitié rongé par la rouille et sûrement plus âgé que lui.

Un frisson roula sur les épaules du garçon et se transforma en spasme lourd et acide au fond de son estomac. Le vent froid et humide de cette nuit grise n'y était pour rien. C'était plutôt l'idée de rentrer dans cette petite maison encore pleine de la douce présence de son père et d'admettre à ce fantôme toute l'étendue de son impuissance qui l'angoissait. Comment fait-on pour prouver que quelqu'un n'est pas ce qu'on dit qu'il est ?

De loin, la chose lui avait paru tellement évidente, mais de près, maintenant, il ne savait par où commencer ni à qui se fier...

À cet instant, il se serait bien vu dans les bras de sa mère, bercé par la grosse voix rassurante de Georges. Puis il eut honte de cette pensée. N'était-ce pas là une autre façon de trahir son père ? Il est vrai que papa Jérôme n'avait jamais exprimé la moindre jalousie envers Georges, ni le moindre ressentiment envers sa mère.

— Chienne, que c'est compliqué !

Au moment où Éric referma la porte derrière lui, il eut l'impression que quelque chose avait changé dans le logis, quelque chose d'intangible. L'adrénaline se répandit dans tout son système, le transformant en guépard prêt à bondir.

Sans faire de lumière, il s'avança à pas de lynx dans le corridor. Une odeur inhabituelle effleura ses narines. Il pénétra dans la petite pièce qui avait servi de bureau à son père. Brusquement, l'odeur emplit tout son nez, il aurait juré de l'essence à briquet.

SLICK PLOCK, et il fut aveuglé par la lumière.

Le bruit et l'éclairage eurent sur lui l'effet d'une explosion. Sur le fauteuil à bascule, le préféré de son père, un homme, une main encore sur l'interrupteur de la lampe de table, brandissait un porte-cartes ouvert en cuir marron et un Zippo.

— Bonjour, mon Éric... Tu as du nez, à ce que je vois.

Encore ébloui, Éric fut incapable de lire le texte qui apparaissait du côté droit de l'objet que lui tendait l'homme. Mais l'écusson métallique or et bleu du côté gauche du même porte-cartes eut l'effet prévu.

— Vous êtes de la police...

C'était plus une affirmation qu'une question.

Évidemment, J.E. songea que les choses se dérouleraient plus aisément, du moins pour lui, s'il ne contredisait pas le jeune garçon.

Les mensonges, demi-vérités et fausses représentations sont des outils bien commodes pour les privés. J.E. n'était pas un ange, mais juste un enquêteur tiraillé par l'envie de retourner chez lui au plus vite.

En pleine crise d'hyperventilation, l'adolescent pompait l'air bruyamment et de plus en plus difficilement. J.E. devina qu'Éric était à deux doigts de la panique.

— Du calme... Je ne te veux pas de mal... Assieds-toi, respire par le nez, lui dit-il très doucement en lui montrant le fauteuil au fond de la pièce.

Tandis que le garçon s'asseyait, J.E. vit le Jérôme de la photo qui semblait le jauger.

— Non, je ne suis pas de la police... Je suis un enquêteur privé engagé par ta mère pour te ramener à la maison.

L'adolescent se mit à pleurer. Seul un chuintement s'échappait de lui mêlé à ses larmes.

Embarrassé, J.E. se trouvait à la fois devant un enfant de six ans aux rêves brisés et un adulte au bout de sa corde.

— Ce n'est pas correct, ce que j'ai fait à maman et à Georges.

— Je ne pense pas qu'ils t'en veuillent... J'ai l'impression qu'ils t'aiment beaucoup.

— Je sais, dit le garçon en reniflant... Mais je ne peux pas... Je... euh... Je n'ai pas le droit de retourner comme ça chez nous.

— Pourquoi ? Prends ça mollo, le jeune. Je te l'ai dit, ta mère ne t'en veut pas.

— Ce n'est pas ça, monsieur. C'est à cause de mon père.

— Batêche ! Il est mort, ton père. Tu n'y peux rien. Pense plutôt à ta mère.

J.E., qui réussissait mieux à brasser la cage d'un suspect qu'à rapiécer un cœur brisé, se maudissait déjà de son impatience. À pas lourds, il alla s'accroupir devant le garçon. Affectueusement, il déposa une main sur le genou d'Éric.

— Excuse-moi, je n'ai pas raison de crier après toi comme ça.

Éric écrasa ses larmes du revers de la main. Puis il examina l'homme à ses pieds, plongeant son regard dans le sien.

Avec des yeux comme ça, l'enfant n'aurait pas pu renier son père.

— Monsieur..., c'est quoi votre nom ? Retournant au fauteuil à bascule, J.E. répondit dans un soupir :

— Joseph E.

— E. ? ? ? Comme une initiale ?

— Ouais !

J.E. connaissait la prochaine question, il aurait pu y gager son salaire des cinq prochaines années.

— E..., c'est l'initiale de quoi ?

Le visage de l'enquêteur s'éclaira d'un sourire taquin.

— E. pour enquêteur, entêté et sûrement embêté si tu décides de ne pas me suivre.

Le garçon sourit. Là non plus, il n'aurait pu renier son père.

— Vous avez l'air pas mal cool, monsieur E. Est-ce que je peux vous poser une question ?

— Vas-y.

— Quand on retrouve quelqu'un battu à mort, est-ce que ça veut dire à tous coups qu'il était un voyou, un bandit ?

Un peu surpris par la confiance du garçon, J.E. décida de jouer le jeu et prit le temps nécessaire pour confronter cette question à son expérience...

— Non, cela ne prouve pas qu'il était un bandit, comme tu dis.

— J'aurais une autre question. Pensez-vous que les gens puissent changer ? Je veux dire qu'une personne, après avoir commis des erreurs, des grosses gaffes, après avoir été méchante, puisse devenir quelqu'un de correct ?

Trop occupé à voir défiler ses propres fantômes, J.E. n'écouta pas la question au complet. De toute façon, il connaissait déjà la réponse.

— Euh... Éric, c'est peut-être un peu compliqué... Je pense qu'on reste toujours semblable à soi-même, mais il y a plusieurs manières d'être soi-même. Si tu veux une réponse simple, je te dirai oui, en quelque sorte les gens peuvent changer.

Il se retint d'ajouter : « ... sinon, ça ne vaut pas la peine de vivre. »

— Mon père pensait comme vous, et moi aussi, mais le reste de la planète et ma mère continuent de croire que mon père n'était qu'un bandit.

— Et toi, tu crois être en mesure d'amener le reste de la planète à changer d'opinion et de prouver à ta mère que ton père était devenu un bon gars ?

Le ton sarcastique n'échappa pas à Éric, qui ne répondit pas. Pendant quelques minutes, il eut l'air d'examiner avec attention les lattes usées du plancher. Au moment où J.E. allait se lever et dire « Bon, on y va ! », Éric laissa échapper :

— Et vous, comment vous y prendriez-vous ?

Ce fut au tour de l'enquêteur de rester coi pendant un petit bout de temps.

— J'imagine que c'est très difficile de prouver que quelque chose n'existe pas. La bonne façon de procéder serait plutôt de trouver qui a tué ton père et pourquoi. Écoute, le jeune, c'est un travail pour la police, ça.

— Ou pour un détective privé.

Éric s'était exprimé d'un ton ferme, comme un professeur qui énonce une vérité évidente. J.E. le voyait venir avec ses gros sabots.

— Le jeune, il ne faut pas te faire d'idées. Une enquête de ce genre-là, ça peut coûter un bras et les résultats ne sont pas garantis. De plus, ce que je pourrais trouver ne te plairait peut-être pas.

L'adolescent s'approcha de l'enquêteur puis, très sérieux, se croisa les bras.

— Je vais faire un marché avec vous. L'homme fut amusé par l'assurance du garçon.

— Vas-y, vide ton sac.

— Bon, je vous suis sans faire de problème. Une fois chez nous, vous restez avec moi pendant que je convaincs ma mère de vous engager.

J.E., qui n'avait pourtant pas l'habitude d'agir sans réfléchir, tendit aussitôt une main ouverte à Éric.

— Tope là, mon jeune !

— Vous le promettez ? s'assura Éric.

Même s'il ne le voyait plus, J.E. sentit dans son dos le regard en noir et blanc du Jérôme. Pouvait-il tricher avec ce juge à ses trousses ?

— Promis, juré, craché, mon jeune !

— Est-ce que je peux vous demander quelque chose d'autre ?

— Quoi encore ? Il ne faudrait quand même pas trop pousser.

— Ça vous dérangerait d'arrêter de m'appeler « mon jeune » ? Je n'aime pas ça, ce surnom-là.

Vraiment, ce garçon avait du culot, ce qui n'était pas pour déplaire à J.E.

Chapitre 6

Un contrat pour l'agence Edelstein, Mercier & Fille

Mme Lessard avait avalé comme un morceau de gâteau la suggestion de son fils. C'est bien beau, l'amour... Toutefois, J.E. espérait que le prix réduit défiant toute concurrence qu'il avait consenti y était aussi pour quelque chose. Du moins l'avait-il affirmé à la patronne pour la calmer lorsqu'elle avait appris les conditions du contrat négocié par son employé.

J.E. préférait ne pas trop penser à la tête que lui ferait Mme Dupras-Lapointe, comptable émérite mais combien tatillonne, quand à son tour elle prendrait connaissance de la chose.

Il gara sa voiture dans le stationnement du La Fayette. L'hôtel lui servirait de base opérationnelle. Il n'aurait pu jurer que la présence de la serveuse Irène n'était pour rien dans son choix... Toujours est-il que, pour garantir par téléphone sa réservation, il avait dû se faire passer pour un chroniqueur financier. Ces sacrés Japonais, enfin débarqués à l'hôtel, compliquaient la vie de tout le monde.

Ce matin, avant son départ pour Xville, J.E. avait obtenu par une de ses relations à la police de la Communauté urbaine de Montréal un C.R.P.Q.* sur Jérôme.

Son dossier montrait qu'il avait effectivement fait deux séjours en prison. Le premier pour une histoire de drogue et le second pour un hold-up avec un pistolet de départ dans un magasin d'alimentation. Mais depuis sa libération conditionnelle, on ne retrouvait aucune nouvelle inscription sur son bulletin de mauvais garçon.

De son côté, Bob Bélanger s'était débrouillé pour dénicher un photographe amateur, passionné d'oiseaux comme lui, qui était aussi un lieutenant de police de Xville à la retraite. Il faut savoir que Le Kid, pour des raisons professionnelles évidentes, soignait ses fréquentations. L'homme fut très heureux de rendre service au Kid, mais sa récolte de renseignements s'avéra assez pauvre.

Jérôme Delisle avait été battu à mort par une ou plusieurs personnes à l'aide d'un objet contondant. Son corps fut découvert le long de la route nationale à proximité de la ville.

---

* C.R.P.Q. : Centre de renseignements des polices du Québec. Les policiers nomment C.R.P.Q. le fait de solliciter des renseignements sur un suspect auprès de cet organisme.

On pouvait supposer, à cause de l'absence de traces de lutte, qu'il avait été tué ailleurs que là. Aucun témoin ni suspect ne pouvait faire avancer l'enquête.

De plus, en raison du passé criminel de la victime, le responsable de l'enquête était enclin à croire à un règlement de comptes. Pour les forces de l'ordre locales, le dossier n'avait rien de prioritaire.

Un petit malfrat de plus ou de moins n'émouvait personne.

Au moment où J.E. remplissait sa fiche d'inscription, le hall de l'hôtel résonna d'un tohu-bohu. Une cinquantaine de personnes très complet-veston débouchèrent d'un corridor pour se répandre autour de lui. Quelques-unes se rendirent au bar tandis que la plupart s'agglutinèrent devant la porte d'entrée de la salle à manger. Au milieu d'elles, l'enquêteur distingua cinq Asiatiques.

Voyant les gens qui les entouraient s'enfarger dans leurs courbettes, J.E. en conclut qu'il devait s'agir des fameux investisseurs.

Le réceptionniste, toujours aussi flegmatique, lui remit sa clef. J.E. se dirigeait à travers la foule vers les ascenseurs quand on lui mit une main sur la poitrine pour l'arrêter. C'était le presque chauve M. Robert.

— D'après ce que je vois, tu es encore en ville, lui dit l'homme sur un ton pas du tout chaleureux.

— Monsieur Robert... Comment allez-vous ? fit l'enquêteur en prenant un air faussement enjoué.

Le monsieur Robert devait sûrement souffrir d'hypertension, car son visage prit une teinte rougeâtre.

Sans attendre la réponse à sa question, qui de toute façon n'en était pas une, J.E. contourna l'homme et s'engouffra dans l'ascenseur. Au moment où les portes se refermaient, l'enquêteur souriait toujours à l'homme qui ressemblait de plus en plus à un thermomètre plongé dans l'eau bouillante.

Que le diable emporte ce personnage désagréable, J.E. n'avait qu'une idée en tête: déposer sa valise dans sa chambre pour entreprendre au plus vite son enquête.

Chapitre 7

Trésor et énigmes

La première chose que fit J.E. en entrant dans le logis de la rue Bourguignon fut de retourner face contre le pupitre la photo qui l'avait tant troublé. Il valait mieux éviter ce regard triste.

J.E. connaissait sa tâche: fouiller les lieux de fond en comble. Cependant, il n'avait aucune idée de ce qu'il cherchait. Pour le moment, peu lui importait, il savait très bien que ça lui sauterait aux yeux. C'est ce qu'on appelle l'instinct.

La salle de bains et la cuisine ne lui apprirent pas grand-chose, sauf que le Jérôme aimait le dentifrice à la menthe, le shampoing à la camomille, les légumes surgelés, les fines herbes et la vaisselle dépareillée. J.E. vérifia le téléphone accroché au mur. Plus de tonalité, le service était maintenant interrompu.

Dans la chambre, il vira à l'envers tous les tiroirs et leur contenu. Il n'y trouva rien d'intéressant du genre revolver, arme blanche, drogue, seringue ou même pipe de verre.

À l'aide de son couteau suisse, il entailla à quatre ou cinq endroits le matelas. Rien, là non plus. Puis, une fois le lit et les autres meubles dégagés du mur, il sonda méthodiquement les cloisons à tous les dix centimètres. Ensuite, l'investigateur se mit à quatre pattes pour répéter l'exercice sur les plinthes.

Il remarqua immédiatement une mince entaille verticale dans la planche. Trente centimètres plus loin, il en vit une autre tout aussi discrète. Avec la grande lame de son canif, il fit basculer aisément le bout de planche sectionné.

— Batêche !

L'enquêteur s'en voulait d'avoir perdu vingt minutes sur ce sacré mur. Les gens, dans la dissimulation comme dans bien d'autres choses, font rarement preuve d'imagination, et encore moins d'innovation. Une planque creusée au bas d'une cloison et recouverte d'un bout de plinthe sectionnée est un truc qui date du jour où l'humanité inventa le mur. D'ailleurs, l'enquêteur se demandait parfois si on n'avait pas créé les plinthes dans ce seul but.

Il retira de la cache un carton à chaussures et, assis à même le sol, J.E. en fit l'inventaire. Elle recelait un drôle de butin.

Il compta huit flacons en plastique de formats à peu près identiques dans lesquels les pharmaciens livrent les médicaments. La plupart renfermaient une substance visqueuse d'une couleur qui variait du brun au vert.

Un de ces contenants, passablement déformé, semblait fondre à vue d'œil. J.E. le remit aussitôt dans la boîte. Deux autres étaient pleins d'une matière granuleuse ayant plus ou moins l'apparence du sable.

Sous les flacons, il repéra deux sachets en plastique munis d'un fermoir à pression. L'un contenait une poudre cristalline de couleur beige et l'autre, une poudre aussi, mais plus fine et blanche.

Chacun de ces objets portait une étiquette. Il y lut les numéros E-3 à E-12. J.E. soupesa le sachet marqué E-12, celui à la poudre blanche. Il pesait approximativement cinq ou six grammes.

L'idée, comme on le voit à la télévision, de vérifier des doigts ou, pire encore, du bout de la langue pour savoir s'il s'agissait de drogue ne lui passa même pas par la tête.

Il n'avait aucunement l'intention de goûter à quelque cochonnerie que ce soit. L'homme ne buvait plus et ne succombait qu'à trois ou quatre bons havanes par semaine.

De toute façon, si l'enveloppe contenait de la cocaïne, Ange Toussaint du service technique le lui dirait assez rapidement. Il glissa le petit sac dans la poche de son imperméable.

« Jérôme... Jérôme... Es-tu en train de décevoir ton petit gars ? » soupira-t-il.

J.E. replongea dans la boîte au trésor pour en ressortir deux photographies noir et blanc. La première image, un peu hors foyer, lui montra un ensemble de constructions (tuyaux, cheminées, passerelles et bâtiments) qui devait faire partie d'une usine moderne.

Sur l'autre image, il vit une bâtisse plus ancienne et un peu délabrée, mais ayant aussi une vocation industrielle. Devant ce qui lui paraissait un débarcadère, il y avait un camion six-roues. À côté du véhicule, un homme aux trois quarts de dos approchait sa main de la portière. Un grand nez (un pic, un roc...) et un coco probablement chauve caractérisaient l'homme vêtu d'un jean.

J.E. retourna à la première photo et y remarqua un détail qui était d'abord passé inaperçu. À moitié dans l'ombre et de la même teinte que l'usine, un camion était garé près de deux grandes portes coulissantes. Il s'agissait sans doute du même six-roues. Sans trop savoir pourquoi, il glissa les photos dans la poche intérieure de son veston.

Dans la boîte ne restait plus qu'une feuille de papier quadrillée, pliée en quatre. Sur un côté elle était vierge, mais sur l'autre on y voyait un tableau constitué de trois colonnes.

La première colonne comprenait une liste de treize entrées, il s'agissait de la lettre E suivie des nombres 1 à 13. Pas besoin d'être sorcier pour piger la référence aux flacons et aux sachets de la boîte.

En haut de la deuxième colonne se trouvait la mention DATE. Effectivement, dans la deuxième colonne, une date correspondait à chacun des éléments de la première colonne. À une exception près cependant, E-13 n'était pas daté. J.E. constata que l'entrée E-1 remontait à six mois à peine et que E-12 portait la date de l'avant-veille de la mort du Jérôme. Les autres entrées se suivaient dans un ordre chronologique.

Enfin, la troisième colonne était coiffée de la mention ANA. Dans cette dernière, à part un astérisque placé devant E-1 et E-2, il n'y avait rien d'inscrit. J.E. se rappelait que, dans la boîte, ces numéros n'apparaissaient sur aucun flacon... Mystère et boule de gomme, J.E. était perplexe.

La feuille repliée en quatre rejoignit les deux photos. Plus tard, il prendrait le temps de tout décortiquer. Il remit dans sa cachette la boîte et ses morceaux d'énigmes, replaça meubles et lit et rangea très sommairement les tiroirs. Avant de quitter la pièce, il s'assura que le parquet ne dissimulait aucune trappe. Puis, toujours aussi méticuleux, il continua sa besogne dans les autres pièces.

Dans le salon, seuls un livre de médecine abondamment souligné et un vieil appareil photo Nikon, laissé sur le sofa, attirèrent son attention. Hélas, l'appareil était vide de pellicule comme de tout trucage. Le Jérôme avait dû lui-même prendre les photos sorties de la boîte au trésor. Pour ce qui était du livre, J.E. ne sut quoi en penser, sinon que le Jérôme avait des goûts éclectiques.

Ensuite, dernière pièce de la maison, le bureau subit à son tour les indiscrétions de J.E. Dans un des tiroirs du pupitre, il tomba sur une pile de talons de chèques de paye.

Éric lui avait révélé que son père s'occupait de la cuisine à la Garderie Populaire. Jérôme Delisle aurait appris ce métier en prison... La chose avait étonné l'enquêteur, car la table des établissements carcéraux ne jouit pas d'une réputation très enviable.

Peut-être un des clients de la garderie au caractère prompt et aux habitudes alimentaires strictes, mécontent de la tambouille servie à son rejeton, avait-il trucidé l'ex-bagnard à coups de poêlon ? Sourire aux lèvres, mais abandonnant ses réflexions loufoques, J.E. entreprit de tout déplacer dans la pièce.

Une heure plus tard, bredouille, il s'assit dans le fauteuil à bascule pour reprendre son souffle. Bercé par le bruit d'une fine pluie sur le toit de tôle de la maison, il contempla une affiche annonçant une exposition du peintre Riopelle. Son esprit vaguait à travers le bestiaire de l'artiste quand soudain une sonnerie d'alarme retentit en lui.

Était-ce possible ? Une autre cachette des plus conventionnelles, et il allait l'oublier.

J.E. quitta son siège et retourna l'affiche.

— Bingo !

Il ne put retenir sa joie, même si une fois de plus la portée de sa découverte lui échappait. Un plan du quartier à grande échelle tapissait l'endos de l'affiche. Ici et là, on y retrouvait des pastilles de couleur. Il y en avait des jaunes, des rouges, des bleues et des vertes. Au-dessus de trois flèches, sûrement dessinées par Jérôme, qui traversaient le plan plus ou moins dans le même sens, J.E. lut le mot VENT.

Bon, voilà que le Jérôme s'entichait de préoccupations éoliennes...

J.E. décolla avec soin le plan, il le plia et l'envoya rejoindre les photos et la feuille quadrillée au fond de la poche de son veston.

Il s'avoua que cela en faisait beaucoup pour son petit moulin à réfléchir. Il avait passé ici près de quatre heures et il ne récoltait qu'un paquet de points d'interrogation. Maintenant, ça lui sortait par les oreilles, et puis, de toute façon, d'autres tâches l'attendaient ailleurs.

D'abord se rendre à la garderie pour y interroger les anciens collègues de travail de l'homme. Ainsi, il l'espérait, finirait-il par comprendre un peu plus qui avait été cet étrange monsieur Jérôme.

Avant de repartir, J.E. remit la photo du père et du fils à sa place.

Chapitre 8
L'embouteillage

J.E. étendit sur le siège avant de sa voiture le plan picoté du Jérôme pour y retrouver la rue Fort-de-Carillon. La pluie qui avait augmenté de débit cessa tout d'un coup, sans pour autant avoir nettoyé la chaussée ou le ciel. L'enquêteur tourna vers l'est, la garderie se situait quelque part dans la rue qu'il cherchait. Selon le plan, cette dernière aboutirait à sa droite, car à gauche ce n'était qu'un immense terrain vague entouré d'une clôture métallique au passé reluisant mais lointain.

Par ici, le quartier devenait de plus en plus sinistre. Les cours des maisons débordaient de détritus hétéroclites, certains logis étaient carrément abandonnés et une bâtisse penchait dangereusement vers l'arrière. Un pet de rat aurait pu la faire s'écrouler. Pour fuir cette désolation, J.E. porta son regard vers le terrain vague. Au bout du champ, où quelques monticules de neige sale s'entêtaient à l'ombre des buissons, il remarqua un bâtiment assez bas.

Il n'aurait pu le jurer, mais cet édifice ressemblait à un de ceux figés sur les épreuves sorties de la boîte au trésor.

J.E., qui voulait en avoir le cœur net, accéléra un peu et se pencha vers le coffre à gants pour y prendre ses jumelles. Ainsi incliné, il tira sur le volant et la voiture déborda légèrement la ligne blanche. Quand, jumelles en main, J.E. revint devant le pare-brise, il n'eut que le temps de braquer à droite pour éviter un camion qui venait à sa rencontre.

Le lourd véhicule frôla sans ralentir la Lynx de l'enquêteur qui, dans son élan, dérapa sur quelques mètres avant de s'immobiliser perpendiculairement à la rue. Du chauffard, il n'avait aperçu qu'une énorme main pendant le long de la portière.

— Hérode sale ! D'où sort-il, lui ?

Au bout de la rue, le camion diminua à peine sa vitesse, tourna et disparut comme il était venu. On aurait presque pu croire à un fantôme. J.E., la tête tournée dans la direction où le spectre s'éclipsait, chercha à arrêter son esprit emballé par un détail qu'il n'arrivait pas à saisir.

À travers ses vêtements, il sentit la sueur figée sur son dos. L'événement lui avait donné des émotions. Peu à peu son cœur reprenait un rythme normal quand un coup de klaxon gâcha ce retour à la sérénité. D'un bond, il se retourna pour se rendre compte qu'il bloquait le passage à une automobile tout en chrome et en noir qui tenait davantage du porte-avions. Le conducteur du mastodonte joua de nouveau de l'avertisseur tout en faisant gronder son moteur.

— Batêche ! Ils sont pressés par ici !

J.E. aperçut à l'intérieur du véhicule une tête grasse et ronde, passablement énervée. À l'instant où l'enquêteur embrayait pour libérer le passage, le propriétaire de la tête poupine ouvrit sa portière et s'extirpa de son char d'assaut. Le visage joufflu seyait bien au corps du jeune homme court et bedonnant. Le baril gesticulait des bras. Mais ses lèvres aussi faisaient tout un cinéma. J.E. descendit sa vitre pour mieux saisir ce qu'il disait.

— Aïe, l'épais ! Qu'est-ce que tu fais là à bloquer le chemin ? Envoie, dégage !

J.E., qui n'appréciait pas de se faire bousculer, prit tout son temps pour exécuter la manœuvre. Le dinosaure disparut dans la même direction que le camion.

— C'est un quartier de fous...

J.E. crut plus prudent de se garer pour examiner la bâtisse au bout du champ avec ses jumelles. À n'en pas douter, il s'agissait du même vieux bâtiment que sur la deuxième photo. De plus, il réalisa que son trouble au moment où le camion avait disparu venait de ce que le véhicule ressemblait beaucoup à celui des photos...

Évidemment, des six-roues gris, il y en a plus d'un sur les routes. Mais la proximité de ce camion et de cette usine désaffectée, tous deux sortis des photos, lui faisait douter de la possibilité d'un hasard. Bon, bon, encore un truc à fourrer dans son broyeur à penser.

J.E. s'apprêtait à mettre sa voiture en marche lorsqu'il s'aperçut qu'à quatre ou cinq pas de là débouchait la rue Fort-de-Carillon. Sur une bâtisse au coin de cette rue, les mots GARDERIE POPULAIRE étaient inscrits sur une enseigne peinte à la main.

Autrefois, l'endroit avait été un commerce et les deux grandes vitrines de chaque côté de la porte d'entrée débordaient d'une jungle de crotons, philodendrons, dracénas, aralias, bégonias et lierres suspendus, tous apparemment en très bonne santé.

J.E. descendit de sa voiture et voulut prendre une grande bouffée d'air pour se remettre de ses émotions. Une odeur lourde de gaz le fit changer d'idée. Quelque part, sûrement pas très loin d'ici, une usine de pâtes et papiers devait cracher ses fumées empoisonnées.

J.E. décida qu'il n'aimait pas Xville, du moins ce quartier-ci.

Chapitre 9

L'amie de Jérôme

vvvvvvVRRRRRRROUMMMMMMM !

Sylvie-les-couettes frôla Jean-Marc-pipi-dans-sa-culotte, puis contourna un immense cube bleu. Elle roula ensuite sur la tête de Tonton-le-lion qui traînait par terre et, les pieds dans les airs, laissa son Big-Wheel vert fluo s'écraser en bout de course dans les jambes du monsieur qui entrait dans la garderie. La fillette, après un coup d'œil mauvais à J.E., abandonna là son bolide et, sans plus de formalités, rejoignit au centre de la pièce un groupe d'enfants qui piaillaient.

À cinq pas de là, Pierrot-pas-de-langue, indifférent comme d'habitude à tout ce brouhaha, s'obstinait à dire non par de petits coups de tête désordonnés. En même temps, toute la partie droite de son corps vibrait d'un léger mais continuel tremblement.

J.E., tout yeux pour cet enfant, sursauta quand un jeune homme dans la vingtaine lui mit sur le bras une main barbouillée de rouge et de jaune.

— Est-ce que je peux faire quelque chose pour vous, monsieur ?

— Enquêteur Joseph E., dit-il en exhibant son permis et son insigne d'enquêteur privé.

À tous coups, les gens confondaient cet attirail avec celui de la police officielle, ce qui faisait bien l'affaire de l'enquêteur. J.E. reporta son regard sur l'enfant solitaire.

— Qu'est-ce qu'il a à trembler comme ça, celui-là ?

— Pierrot ? Il est malade, on ne sait pas ce qu'il a... lui répondit le jeune homme sur un ton qui signifiait que cela ne regardait pas l'intrus.

Puis, toujours pas très conciliant, il ajouta :

— Vous, vous êtes ici pour Pierrot ?

— Non, non ! J'aimerais parler au patron ou à la patronne.

— Das, la coordonnatrice, est au fond, dans la cuisine...

J.E. prit un corridor à sa droite et déboucha dans une pièce abondamment vitrée. Deux longues tables basses entourées de chaises aux multiples couleurs pastel tout aussi naines les unes que les autres le surprirent par leur taille. L'endroit sentait le pin et les produits nettoyants.

Des bruits provenant d'une autre pièce, séparée de celle-ci par un comptoir et une demi-porte, captèrent son attention. Il s'agissait du son de casseroles entrechoquées auquel se mêlait la voix d'une femme qui chantonnait une comptine. J.E. s'avança vers ce qu'il découvrit être la cuisine et tomba face à face avec un beau visage blanc, presque translucide, et de grands yeux noirs.

La femme portait une chemise à carreaux aux manches retroussées jusqu'aux coudes, des blue-jeans et, sur la tête, un foulard en coton indien. Au milieu de ces meubles au volume réduit, et surtout devant cette figure angélique, J.E. crut un instant avoir affaire à une Blanche-Neige moderne.

— Oui ? fit-elle simplement.

L'homme dut exiger de lui-même un certain effort pour échapper au conte de fées.

— Joseph E., enquêteur. J'aurais besoin de quelques renseignements au sujet de Jérôme Delisle. Vous êtes madame... euh...

— Maria Daskalopoulos, coordonnatrice. Et il me semble que j'ai dit à vos confrères tout ce qu'ils voulaient savoir au sujet de Jérôme.

— Eux, c'est eux... Moi, c'est moi... En premier, j'aimerais bien comprendre comment il se fait qu'un ex-détenu ait pu travailler dans une garderie.

Personne ici ne paraissait apprécier la police, J.E. décida donc d'utiliser le même ton que celui dont on usait à son égard : poli, certes, mais direct et peu avenant.

— Écoutez, monsieur l'agent, il me semble que Jérôme a payé sa dette à la société, non ?

— Peut-être...

— Je vous dis que vous êtes bornés, vous autres de la police... En tout cas, sûrement plus que son agent de probation qui, à l'époque, nous l'a fortement recommandé. De plus, nous faisons passer une entrevue serrée aux gens avant de les embaucher... Il ne nous a rien caché et il savait que nous le prenions seulement à l'essai. Nous l'avons gardé parce qu'il avait fait ses preuves, un point c'est tout.

— À votre avis, madame Dasaka... euh... Daskolo...

— Faites donc comme tout le monde, appelez-moi Das.

— Merci, Das. Est-ce qu'à votre avis Jérôme faisait usage de drogue ou d'alcool ?

La femme sourit, amusée par la question.

— La seule drogue qu'il consommait était le café. Dans une journée, il en prenait des litres et des litres...

Un peu songeuse, elle ajouta :

— Maintenant qu'il est parti, nous avons du café jusqu'à la fin des temps.

— Et l'alcool ? demanda-t-il sur un mode un peu plus doux.

— Pas une goutte. Il ne voulait même pas tremper ses lèvres dans un verre de vin lors de nos petites fêtes de Noël ou du premier mai... C'était un bon cuisinier, monsieur, travailleur, économe et qui avait le sens de la diététique joyeuse. Les enfants l'aimaient beaucoup... Il leur manque.

— Rien à lui reprocher ?

— D'être parti, ironisa-t-elle.

Puis la femme se retourna et rangea dans une armoire une dernière casserole qui traînait sur le comptoir de la cuisine. Lorsqu'elle revint devant J.E., un sourire triste ornait son beau visage. Avant de parler de nouveau, elle toussa comme pour se débarrasser d'un chagrin dans la gorge.

— À part son café, sa timidité et le fait qu'il s'entêtait dans son histoire de complot, c'était quelqu'un de... presque parfait... de super, en tout cas.

— Un complot ? Quel complot ?

— Bien oui, Jérôme croyait mordicus que des puissants sans scrupule conspirent pour maintenir les gens dans la pauvreté, pour provoquer leur malheur. Oui, pour lui, quelque part, des riches s'organisent délibérément pour déposséder les pauvres gens.

— Était-il marxiste ou quelque chose comme ça ?

— Non, il se méfiait de ça aussi... Il était sûr que la pauvreté et la maladie qui sévissent dans un quartier comme le nôtre profitent à quelques-uns. Il en parlait de plus en plus souvent... une vraie obsession.

— Pensez-vous qu'il y ait un rapport quelconque entre sa mort et cette obsession ?

— Je ne le sais pas. C'est votre travail, ça...

Puis elle examina attentivement l'homme avant de lui lancer :

— Vous, vous êtes différent. En fait, vous êtes le premier policier qui démontre un peu d'intérêt pour Jérôme... Les autres m'ont plutôt donné l'impression de s'en foutre ou de le prendre pour une petite crapule.

Le moniteur aux mains tachées arriva en coup de vent dans la pièce. J.E. fut heureux de cette diversion.

— Excuse-moi, Das, j'ai besoin d'un linge humide.

— Qu'est-ce qui se passe, Pio ?

— Ha, c'est Hamed, il a encore vomi. Cet enfant-là ne garde rien, ça n'a pas d'allure.

— Je sais, j'en ai encore parlé à ses parents. Ils m'ont dit que les médecins n'avaient rien trouvé...

Là-dessus, J.E. remercia Das et le dénommé Pio. Puis il leur fit savoir qu'il reviendrait peut-être une autre fois s'il avait d'autres questions.

Dans la grande salle, Sylvie-les-couettes, qui trouvait qu'on s'occupait un peu trop d'Hamed-la-dégobille, enfourcha son Big-Wheel vert fluo. Puis elle se précipita sur Siam-la-puce qui, un doigt dans la bouche, regardait calmement à travers la jungle de la vitrine le monsieur s'éloigner.

Chapitre 10

Rien à signaler

Bien installé derrière le volant de son véhicule, J.E. laissait ronronner son moteur et son esprit.

Bon, jusqu'à maintenant, grosso modo, le Jérôme lui donnait l'impression d'avoir été une personne tranquille avec de gentilles lubies plus ou moins anarchistes. Mais voilà, généralement les personnes tranquilles, même légèrement anarchistes, ne se font pas assassiner à coups d'objet contondant.

Il peut leur arriver parfois d'être la malheureuse victime de voyous intéressés par leur portefeuille ou leurs bijoux... Mais l'endroit où l'homme avait été retrouvé et la très grande probabilité qu'il y ait été transporté après sa mort éloignaient cette hypothèse. En effet, de simples voleurs ne se seraient pas donné tant de mal.

Par conséquent, les matériaux qu'il avait pour sa réflexion se bornaient à ces gentilles lubies. Elles étaient nombreuses (fioles, photos, aspirations journalistiques, obsession du gros méchant prêt à dévorer les pauvres gens, pour n'en nommer que quelques-unes), et s'il y avait un lien entre elles, ce lien échappait encore à l'enquêteur.

Puisqu'il en était à ces lubies, J.E. décida d'en voir au moins une de près. Il lui suffit de rouler quelques secondes pour repérer un chemin conduisant au centre du terrain vague. De larges et profondes traces fraîches dans la boue le long de l'allée bordée de buissons et d'arbrisseaux renforcèrent sa conviction : le camion qui avait failli le heurter un peu plus tôt sortait d'ici.

J.E. gara sa voiture. Photos en main, il fit le tour de la bâtisse, comparant le modèle avec la réalité. À n'en pas douter, l'un représentait l'autre.

Il s'agissait d'une usine délabrée, construite en briques sur un seul niveau. Plusieurs carreaux manquaient et ceux qui restaient avaient été aveuglés de coups de pinceau sommaires. Trois portes qu'un enfant aurait pu facilement fracturer permettaient d'accéder à l'intérieur.

L'une d'elles, qui avait l'air d'une porte de garage, servait de débarcadère. C'est là que la photo avait été prise. Devant elle gisait par terre un baril cabossé dont le couvercle avait sauté et d'où se répandait une poussière verdâtre dispersée par le vent.

Du pied, l'enquêteur fit rouler le baril. Aucune inscription n'en indiquait le contenu, la provenance ou le propriétaire. La chose, sans être tout à fait inusitée, était quand même particulière. J.E. ne sut quoi en penser. La substance verdâtre ne ressemblait à rien qu'un trafiquant ou un laboratoire clandestin de drogues aurait pu utiliser.

Un peu plus loin, l'homme remarqua un carreau moins barbouillé de peinture que les autres. Se mettant sur la pointe des pieds pour mieux voir à l'intérieur, J.E. s'y colla le nez.

L'immense pièce regorgeait de barils et de boîtes de toutes formes et matières... À part la poussière et quelques papiers qui serpentaient sur le sol, poussés par un courant d'air, rien ne bougeait là-dedans. Bon, l'usine désaffectée servait d'entrepôt à un quelconque industriel. Il n'y avait pas de quoi fouetter un chat.

Le soleil livide se diluait à l'horizon quand une fine pluie se remit à tomber sur la ville grise. À chaque jour suffit sa peine, aurait dit Ange Toussaint des services techniques de l'agence, qui était amateure de proverbes. J.E. se demanda en montant dans sa voiture si la belle Irène travaillerait ce soir au bar de l'hôtel La Fayette.

Chapitre 11

L'en-cas Denise

SLICK PLOCK.

J.E. avait plus d'une raison d'être de mauvaise humeur. En entrant dans sa chambre à l'hôtel La Fayette, il constata qu'on l'avait fouillée, et pas de façon discrète comme l'aurait osé un rat d'hôtel.

À moins que l'on ne puisse qualifier de discret le fait de répandre ses vêtements aux quatre coins de la chambre. Puis de réduire en lambeaux son boxer préféré, celui où l'on voit des signes de paix noirs sur des pastilles roses. Et enfin d'en disposer les morceaux en petits tas sur son oreiller.

Non, cela ressemblait plutôt à un message... assez clair: J.E., TU ÉNERVES QUELQU'UN.

Il ne jugea pas utile d'avertir la direction de l'établissement. Si on croyait lui faire peur avec cette mauvaise blague, on se trompait. Lourdement.

Re-SLICK PLOCK.

Puis il cala le Zippo dans sa poche. Il ne tenait pas à attirer sur lui l'attention des quelques clients du bar.

Une autre chose, plus grave, provoquait son courroux : c'était soir de congé pour la belle Irène.

— Batêche !

D'ailleurs, sa remplaçante, une dame d'un âge certain qui avait une ruche d'abeilles sur la tête, dix centimètres de fard à joues et de faux ongles vernis mal collés, arrivait avec le café de J.E. Il eut suffisamment de force de caractère pour mater la panique qui l'envahissait devant ce spectacle.

— *Chéééér*, peux-tu me répéter ce que tu veux dans ton sandwich ? J'ai peur de pas avoir bien compris, dit-elle en mastiquant sa gomme à mâcher.

— Bon, j'ai dit du pain de mie blanc, frais, abondamment beurré, légèrement tartiné de gelée de pommes, trois ou quatre tranches de bacon fumé croustillant et du poivre noir fraîchement moulu.

— Laitue-mayonnaise avec ça, *chéééér* ?

— Non.

En regardant la femme s'éloigner, J.E. remarqua que ses bas filaient et que là où il n'y avait pas de taches, sa jupe noire à la fermeture éclair bâillante luisait tant elle était usée. Malgré tout, il la trouva moins éprouvante de dos que de face.

En attendant sa petite gâterie, il prit sur la table voisine le quotidien local plié en quatre. À la une, on lisait en gros caractères : MITSUGI INC., ENCORE

DE L'ESPOIR. Sous le titre, une photo montrait deux Asiatiques encadrant un Occidental grand et décharné. La légende expliquait que le maire de Xville était très honoré de rencontrer ses inestimables hôtes, MM. Ito et Tanaka.

Ces deux derniers ressemblaient à une version extrême-orientale des Dupond et Dupont.

L'article apprit à J.E. que les représentants de la société Mitsugi avaient refusé d'emblée un terrain tout près de Xville, proposé par M. Robert, industriel bien connu de la ville et grincheux de service, selon l'enquêteur.

Cependant, comme le titre l'indiquait, tout n'était pas joué. Les Japonais hésitaient entre ce terrain et deux autres, soit un terrain situé dans les environs, propriété de la Corporation de développement régional, et un terrain qui se trouvait à plus de soixante kilomètres au sud-est de la ville, près de la frontière américaine. En page 5, le journaliste confiait que, selon ses sources, le troisième lot appartenait aussi à M. Denis C. Robert.

J.E. scruta le journal, mais rien ne l'informa sur ce que les industriels du soleil levant avaient l'intention de fabriquer avec ces fameux terrains.

Son sandwich arriva. Horreur! on y avait glissé une feuille de laitue. Il la retira et inspecta le mets pour se convaincre qu'il était conforme à ses devis. Une fois tranquillisé, il s'assura que personne ne le regardait et écrasa le sandwich de la paume de la main.

Ce plat ainsi apprêté portait le joli nom d'« en-cas Denise » et il figurait en bonne place dans le livre de recettes qu'un jour il publierait, il en était sûr.

À la première bouchée, une parcelle de bonheur et tout le soleil de la pomme en gelée coulèrent en lui.

Chapitre 12

Un peu de lumière

« La nuit porte conseil », lui répondit Ange Toussaint lorsque au téléphone J.E. lui fit part de ses hypothèses.

Les fioles et les sachets étiquetés E-3 à E-12, aussi bien que l'énigmatique feuille de papier quadrillée et ses trois colonnes, hantèrent le sommeil de l'enquêteur.

Quelques instants après son réveil, au moment où il libérait sa vessie, un sens à tout cela s'imposa, tout à fait soudainement.

E signifiait échantillon, et les petits machins au contenu répugnant en étaient pleins. Quelle était la nature de ces spécimens, J.E. n'en savait rien. E pour échantillon, cela lui paraissait probable. Et si c'était le cas, la deuxième colonne de la feuille quadrillée devait indiquer la date du prélèvement. Et puis, que fait-on avec des échantillons ? Certes, on peut les collectionner, mais lorsqu'on ambitionne d'être journaliste, on les fait plutôt analyser.

Donc, s'il ne se trompait pas, la troisième colonne portait le titre ANA pour analyse et les échantillons numéros 1 et 2 manquaient à l'appel parce qu'ils se trouvaient ailleurs, en train justement de subir une analyse. Voilà, tout cela s'alignait très bien : élémentaire, aurait dit un célèbre détective.

Ange lui affirma qu'il avait une bonne piste et qu'elle se mettait à la recherche d'un endroit où Jérôme Delisle aurait pu, dans la région de Xville, envoyer ses fioles pour obtenir une expertise. De son côté, l'enquêteur s'engagea à récupérer durant la journée même le reste du contenu de la boîte au trésor.

Après avoir raccroché le récepteur, J.E. décida que ses petites cellules grises et lui-même, qui avaient suffisamment bien travaillé, méritaient un petit déjeuner copieux.

Vers neuf heures trente, rassasié, J.E. débouchait dans la rue Bourguignon. Au même moment, sous la pluie un camion d'éboueurs tournait devant l'épicerie, abandonnant derrière lui, comme un Petit Poucet souillon un lot de poubelles vides renversées ainsi qu'une traînée de coquilles d'œufs, d'épluchures de pommes de terre et de papiers gras.

L'endroit gagnait de plus en plus en désolation. J.E. se consola car, avec la pluie, l'odeur des usines de pâtes et papiers disparaissait. Où et pourquoi, il n'aurait su le dire, mais c'était tout de même une bénédiction.

À l'aide de ses petits outils, l'enquêteur tripotait méthodiquement la serrure du 813 quand la porte s'ouvrit toute grande. La main tendue et toujours accroupi, J.E. fut étonné d'apercevoir une paire de chaussures noires de type militaire sur le tapis de l'entrée. Il eut tout juste le temps de s'écarter quand la bottine s'éleva vers son visage. L'instinct de conservation donne des ailes. D'un bond, J.E. se retrouva au pied des marches.

En contre-plongée, il vit dans l'encadrement de la porte un homme au crâne rasé. L'escogriffe portait une chemise kaki à épaulettes, un pantalon noir très ajusté et il affichait un sourire narquois.

— Tabarnak, qu'est-ce que tu veux ?

— Savoir ce que vous faites là, répondit l'enquêteur.

Visiblement, le hargneux n'appréciait pas qu'on lui tienne tête.

— Aïe, le *journaleux* de chiens écrasés... C'est chez nous, icitte.

— Ce ne serait pas plutôt chez Jérôme Delisle ?

Une lueur d'amusement passa dans le regard de tête d'œuf.

— Y paraît qu'y peut plus payer son loyer... Ça fait que, depuis ce matin, c'est chez nous. Pis le propriétaire m'a dit de mettre ses cochonneries aux vidanges...

Le Cro-Magnon à bille regarda théâtralement à droite, puis à gauche et ajouta :

— À ce que je vois, t'es en retard pour le déménagement. Y reste encore deux ou trois meubles à l'intérieur, pis si tu les veux, va falloir que tu viennes me les demander un autre jour parce que là, ça m'adonne pas.

Tout en déblatérant, il s'était avancé de quelques pas sur la galerie. J.E. vit dans sa main gauche un téléphone cellulaire. L'objet paraissait minuscule dans son immense patte. L'enquêteur avait assez d'expérience pour savoir que l'animal n'hésiterait pas à lui faire un mauvais sort.

L'orang-outang leva sa main libre vers un point indéterminé de l'horizon.

— Sacre donc ton camp avant qu'y t'arrive un accident !

Le bras ainsi tendu, il ressemblait à un nazi d'opérette rock-heavy-métal. Puis la bête pivota sur elle-même et disparut à l'intérieur de l'ancien logis de Jérôme.

En le voyant de profil, l'enquêteur fut frappé par deux choses : une araignée tatouée sur la tempe du malcommode, dont les pattes formaient une double croix gammée, puis son long nez (un pic, un roc que dis-je, c'est un cap).

Se pourrait-il que ce malabar, l'homme de la photo et, pourquoi pas, le camionneur d'hier ne fassent qu'un ? De plus, le scélérat l'avait traité de « *journaleux* de chiens écrasés ». Pourtant, J.E. n'avait rien dit au mécréant qui ait pu lui permettre de faire cette réflexion.

À son avis, seul M. Robert, l'homme-thermomètre, le prenait pour un journaliste à sensations... Évidemment, il ne pouvait exclure la belle Irène, qui avait assisté dans le bar de l'hôtel à la passe d'armes entre lui et le thermomètre humain.

Super ! Depuis ce matin, tout déboulait et les morceaux éparpillés du casse-tête avaient tendance à se regrouper. J.E. retourna à sa Lynx, il fallait continuer pendant que la chance lui souriait.

Une fois de plus, il déplia sur le siège du passager le plan que le Jérôme avait caché derrière une affiche. Que signifiaient tous ces points de couleur ? Pour décortiquer ce nouveau problème, il n'y avait pas trente-six façons. Il suffisait de se rendre aux endroits désignés sur la carte.

Le quartier, la ville, la planète ou même la vie en général pouvaient bien à cet instant crouler sous la morosité, J.E. sentait en dedans de lui un soleil radieux l'énergiser.

Chapitre 13

Une bonne façon d'attraper la picote

Sur la carte, plusieurs pastilles de couleur longeaient la rue Bourguignon. Mais avec l'espèce de bonhomme Sept-Heures qui le surveillait par la fenêtre du salon du 813, il n'était pas question pour J.E. de commencer son investigation par les environs immédiats. Il n'allait quand même pas renseigner délibérément cet imbécile sur ses faits et gestes.

J.E. fit pivoter une fois de plus le plan, toujours étalé à ses côtés, à la recherche des rues encombrées de ces picots. Il en distingua trois: les rues Fort-de-Carillon, Radisson et des Engagés. Cette dernière, parallèle à la rue Bourguignon, était la plus proche et s'annonçait fort prometteuse.

Au moment où sa voiture se mit à rouler, J.E. remarqua que le croque-mitaine, toujours à son poste d'observation, tenait son poing gauche contre sa tête inclinée. L'enquêteur en déduisit que l'abruti, sûrement à l'aide de son bidule cellulaire, communiquait avec un comparse : vraisemblablement un patron ayant plus de jugeote que l'ogre.

Cinq chances sur six pour que ce soit l'homme qui se laissait pousser un casque de bain, M. Robert. D'ailleurs, J.E. n'aurait pas été surpris d'apprendre que le crétin se rasait le coco pour pouvoir ressembler à son mentor.

Ne se fiant qu'à son instinct, il refusait d'associer King-Kong à la belle et douce Irène au regard intelligent...

Il fallait se rendre à l'évidence, le Jérôme avait fait un travail méticuleux : sur la carte, il était facile de différencier au moyen des points les étages d'un immeuble. De plus, de nombreuses maisons de cette rue possédaient de petits disques de couleur, certaines en groupaient même de différentes couleurs. J.E. se gara devant une résidence marquée de deux points verts et d'un bleu.

De l'extérieur rien ne justifiait, à première vue, que cette maison jouisse d'une codification et d'un nombre de picots différent. Plutôt conforme au quartier, elle ressemblait à celle du Jérôme, mais elle était moins de travers.

Après un soupir, de résignation plus que de découragement, J.E. prit dans le compartiment à gants une enveloppe de papier kraft froissé. Du même coup ses jumelles, un thermos et deux cassettes déboulèrent.

— Batêche, un jour je vais faire le ménage là-dedans.

Oubliant la porte béante du compartiment et les objets renversés, il retira de l'enveloppe trois petits cartons. Après une brève appréciation, il en retourna deux d'où ils venaient, ramassa les objets sur le sol et enfourna le tout pêle-mêle dans le compartiment à gants. Pendant quelques secondes, la petite porte refusa de se fermer... Puis, CLIC ! OUF !

Ensuite, J.E. glissa dans son porte-cartes marron, par-dessus son permis d'enquêteur, le carton qu'il avait conservé. À bout de bras il évalua le tout, cela avait suffisamment l'air officiel pour résister à un examen sommaire. Maintenant, son abracadabra, c'est ainsi qu'il nommait son attirail, affirmait qu'il était enquêteur pour le Service de prévention des incendies.

Puis, du coffre de sa voiture, qui était un véritable capharnaüm, il dégota, non sans efforts, une tablette sur laquelle un questionnaire conforme à ses nouvelles fonctions était maintenu par une pince. Ainsi déguisé (ce sont toujours les camouflages les plus simples qui sont les plus efficaces), il frappa à la porte de la maison.

Une femme en robe de chambre molletonnée et fleurie dans les tons de vert, rouge et jaune lui ouvrit.

— Joseph E., du Service de prévention des incendies. Excusez-moi de vous déranger, j'aurais quelques petites questions à vous poser.

La femme ne prit même pas la peine de jeter un coup d'œil sur le document « officiel » que lui montrait l'investigateur avant de le laisser entrer. Évidemment, l'homme savait très bien qu'un individu qui s'occupe de prévention des incendies ne représente pas a priori une menace.

— Avez-vous un ou des détecteurs de fumée ? s'informa-t-il, toujours très officiellement.

— On en a un dans le corridor. Quand on vit dans une vieille baraque de même, on ne peut pas courir trop de risques.

J.E. n'arrivait pas à mettre un âge sur la femme. Probablement entre trente et quarante-cinq ans. C'était difficile à dire, elle avait l'air si épuisée.

La maison puait le chou, mais reluisait de propreté. De l'entrée où il se tenait, J.E. voyait que les meubles étaient dépareillés et, comme leur propriétaire, d'un âge indéterminé. Seule, dans la pièce immédiatement à sa droite, une chaise-fauteuil bon marché semblait plus jeune. Une courtepointe maison la recouvrait en partie et on pouvait y voir l'empreinte laissée par le corps de la femme. Une empreinte frêle comme elle.

— En quoi consiste votre système de chauffage ?

— On chauffe à l'huile, pis on gèle en hiver. C'est bien mal isolé ici, laissa-t-elle tomber.

— Est-ce que ça vous dérange si je fais une petite inspection dans la maison ?

— Allez-y. Je ne suis pas gênée, tout est en ordre... Mais si ça ne vous ennuie pas, je vais m'asseoir. Je ne me sens pas bien forte.

— Vous êtes malade ? Est-ce que... ?

— Non, non, ce n'est pas grave. Hier, j'étais encore à l'hôpital... mais... Occupez-vous pas de moi, faites votre affaire. Allez...

Mal à l'aise, J.E. entreprit son inspection. On percevait dans cet endroit le souci du détail et de l'ordre. Il fut surpris par la profusion d'objets sans valeur qu'il devina chargés de souvenirs.

Ici, une rose séchée liée à une branche de gypsophile par un petit ruban bleu poudre; là, un chevreuil en verre soufflé; sur une étagère, quelques cailloux et coquillages; dans un vase transparent, des pochettes d'allumettes de différentes provenances et, un peu partout dans la maison, des photos de personnes pas toujours souriantes — parents ? amis ?

Au fond de la cuisine, une porte fermée... Il l'ouvrit et découvrit une chambre d'enfant, ou plutôt de bébé. Ici, les quelques meubles étaient récents. Certains objets, comme des toutous en peluche, une petite brosse à cheveux et un pyjama, reposaient même dans leur emballage d'origine. La pièce embaumait le neuf, mais à part ça, elle n'avait pas d'odeur particulière. Elle n'était sûrement pas habitée.

J.E. revint vers la femme. Il eut d'abord l'impression qu'elle dormait, mais au moment où il allait tousser pour la réveiller, elle tourna vers lui un regard vide. Le temps d'un éclair, J.E. fut happé par le vertige...

— Vous avez terminé, monsieur ?

— Oui. Excusez-moi de vous avoir dérangée... C'est beau et propre chez vous, ajouta-t-il sur un ton enjoué.

— Bof... fut la seule réaction de la femme.

— Vos enfants sont à la garderie ?

Il fallait bien que l'enquêteur trouve un truc, un lien entre cette maison et le Jérôme.

La femme resta quelques secondes silencieuse, dans un vain effort pour ramasser les pièces éparpillées de sa vie.

— Non... Je n'ai pas d'enfants, et pis j'en aurai pas... Je sors de l'hôpital... c'est ma troisième fausse-couche... Ça suffit. On a mis le cadenas là-dessus...

— Pauvre madame, vous n'êtes pas chanceuse.

— Bof... Il y a pire que nous autres.

Durant les quatre heures qui suivirent, l'enquêteur visita seize autres maisons. On ne lui ouvrit pas toujours la porte aussi grande, mais en général son abracadabra et une voix déterminée suffisaient à rassurer les gens. Il ne savait trop quoi penser de son excursion. Tout de même, un fil ténu annonçait peut-être un chemin dans ce grand noir.

Dans cette rue, huit maisons s'étaient vu attribuer un ou des points verts. Il frappa à sept de ces portes et obtint quatre réponses. Trois fois, il quitta la maison en ayant appris, entre autres, qu'une femme y avait subi une fausse-couche.

Évidemment, son échantillonnage n'était pas très scientifique, mais cela faisait beaucoup de fausses-couches dans la même rue... En outre, il ne pouvait oublier le livre à caractère médical trouvé chez le Jérôme. Mais tout ça n'était encore qu'un tout petit fil, il devait pousser plus loin ses recherches.

J.E. se pencha sur le plan pour retrouver la rue Radisson, sa prochaine destination. Cette dernière et quelques-unes qui lui étaient perpendiculaires comportaient leur lot de points verts.

Il fouilla dans ses poches pour y prendre ses clefs et il s'aperçut qu'elles étaient restées sur le contact tout l'après-midi. Pris dans le feu d'une enquête, cela lui arrivait assez souvent. Un bon jour, il se ferait voler sa voiture.

La rue Radisson ne faisait pas à proprement parler partie du même quartier que les autres. Construite sur une hauteur, elle le surplombait plutôt. D'ailleurs, ici le type d'habitations différait quelque peu. Il s'agissait de petits cottages modernes et de semi-détachés pimpants.

Dans ce secteur un peu plus à l'aise, il ne rencontra pas tellement plus de difficulté à se faire ouvrir. Très vite, il constata qu'ici aussi les points verts indiquaient des foyers où il y avait eu des fausses-couches durant les dernières années. De plus, les points jaunes semblaient signaler la présence de gens souffrant de difficultés respiratoires. Du moins, il se souvenait qu'à certains endroits picotés en jaune, il était tombé sur des gens au souffle court...

L'après-midi touchait à sa fin et la pluie tombait toujours par intermittence. Il reprit sa voiture et descendit le coteau vers la rue Fort-de-Carillon pour se garer près de la garderie, au même endroit que la veille.

Comme la question des points verts semblait réglée, tout au moins provisoirement, il lui apparut plus profitable de s'attaquer maintenant aux points jaunes afin de déterminer le lien qui existait entre eux. J.E. reprit donc l'étude de la carte; à ce rythme, il la connaîtrait bientôt par cœur. Il repéra une concentration de points jaunes à un ou deux kilomètres de l'endroit où il était.

Une autre chose attira son attention: les flèches, dessinées en noir par le Jérôme et sur lesquelles apparaissait le mot VENT, formaient un couloir où abondaient en plus grand nombre les pastilles de toutes les couleurs. Ce couloir allait en s'élargissant. Il partait de l'usine désaffectée, survolait la garderie et s'étendait jusqu'aux hauteurs de la rue Radisson. Le mystère perdait de son épaisseur.

Au moment où l'enquêteur relevait la tête, il remarqua, garée à une cinquantaine de mètres, juste devant le chemin qui menait au centre du terrain vague, l'astronef noir chromé qui avait failli emboutir sa voiture la veille.

J.E. embraya puis doubla à vitesse réduite le porte-avions. Il put entrevoir derrière le volant le même chauffeur adipeux que la veille. Quelques secondes plus tard, un coup d'œil à son rétroviseur lui apprit que la voiture noire s'était mise à rouler derrière lui. J.E. tourna à droite à la première rue, puis un peu plus loin à gauche. L'astéroïde le suivait toujours.

— Judas du désespoir!

Se pouvait-il que Grosses-Babines à bord de son yacht cherche à le prendre en filature? Toujours est-il que l'homme n'avait pas le doigté d'un professionnel. Un petit tour vers le centre-ville confirma l'appréhension de J.E.

D'abord subjugué par une vague de rage pour s'être fait prendre à un jeu qu'il avait plutôt l'habitude d'imposer, J.E. se calma très vite. En fait, ce dernier événement risquait d'être la meilleure nouvelle de cette riche journée.

En y regardant de plus près, le E pour échantillon, l'histoire d'analyse, le gorille et son lien possible avec M. Robert ainsi que les points verts et les fausses-couches, tout ça ne s'avérait que déductions et suppositions... de l'air. Mais l'ovni qu'il avait aux fesses, ça, c'était du concret.

Pas question pour J.E. de faire le pigeon bien longtemps. Retourner la situation fut une affaire de rien pour le professionnel: un virage à droite lorsqu'il annonçait à gauche, un coup d'accélérateur, une ruelle enfilée et le tour d'un petit quadrilatère exécuté à toute vitesse. Rien de plus simple, quand on sait s'y prendre.

Mais pour faire la queue discrètement à son ex-suiveur, cela lui demanda toute son habileté et son expérience. Pour le suivre, il ne devait pas trop s'approcher de l'homme maintenant aux aguets. Pour passer inaperçu, il emprunta alors des rues parallèles, se dissimula derrière des camions et des autobus et, plus d'une fois en sueur, il crut avoir perdu son sujet. L'heure de la journée, entre chien et loup, où les objets tendent à ne devenir qu'un contour bleu, avantageait l'enquêteur.

Sous la pluie toujours en pointillé, J.E. suivit son pigeon qui l'amena, à sa grande surprise, devant la garderie. Puis, quittant son vaisseau spatial, le baril-bas-sur-pattes trottina jusqu'à la bâtisse. L'enquêteur attendit une bonne demi-heure au cas peu probable où l'homme serait allé chercher un enfant. Mais il ne ressortit pas.

Pendant un instant, une fois de plus, J.E. ne sut quoi penser et encore moins quoi faire. L'homme et un membre de la garderie étaient-ils complices ? Si oui, complices de quoi ?

À bout de patience, l'investigateur décida qu'aux grands maux les grands remèdes : l'heure d'un petit affrontement avait enfin sonné. De toute façon, ces points de toutes les couleurs commençaient à ressembler à une crise de foie et à lui donner passablement mal à la tête.

Ainsi, d'un pas décidé, J.E. à son tour se dirigea vers la garderie.

Chapitre 14

Conversation autour d'un bon café

— Das, si lui est de la police, moi, je suis le pape.

Dans la garderie ne restaient plus que cinq enfants assis sagement devant le téléviseur. J.E. avait retrouvé Das et le petit gros autour d'un café dans la cuisine. Derrière eux, sur un feu de la cuisinière, mijotait un plat à l'odeur douce et sucrée, sûrement un truc aux tomates.

— Est-ce que mon frère a raison ?

— Oui. C'est vrai, il n'est pas le pape et moi, je suis un enquêteur privé, lui répondit J.E.

Ainsi, ces deux-là étaient frère et sœur, cela expliquait... peu de chose, finalement.

— Pourquoi m'avez-vous menti ? Que voulez-vous ?

Sans perdre son air angélique, la jeune femme réussissait très bien par son ton et son regard à faire comprendre toute l'étendue de son courroux. J.E.

songea avec respect que les enfants devaient l'adorer tout en la craignant.

— Mon client désire connaître les faits entourant la mort de Jérôme Delisle.

— Votre client ne serait-il pas le fils de Jérôme, par hasard ? fit-elle le visage soudain plein de lumière.

La bougresse avait de l'intuition. J.E. lui retourna son sourire, mais continua sur un ton très professionnel.

— Voyons, mademoiselle, vous n'êtes sûrement pas sans savoir que c'est là une chose que je ne peux révéler.

— Bien, moi, je pense que vous êtes juste un de plus à vouloir salir Jérôme, laissa échapper le jeune homme sur un ton sans équivoque.

Vu de près, le gros frère de Das paraissait avoir tout au plus vingt ans. Et, de près comme de loin, il ne portait pas J.E. dans son cœur.

— Pourquoi êtes-vous revenu ici ? lui demanda la femme.

— En fait, c'est parce que le comportement de votre frère m'a intrigué.

— Nous surveillez-vous ? Espionnez-vous John ? ajouta-t-elle sur un ton incrédule.

J.E. cherchait à articuler une réponse, mais John ne lui en laissa pas le temps.

— Moi, j'aimerais bien savoir pourquoi, hier, vous m'avez empêché de suivre le camion de Buzzie.

— Buzzie ? ? ? Euh... Ce n'était qu'un accident. En fait, j'ai voulu... Dites-moi, John, ce Buzzie ne serait pas un grand gaillard qui a une araignée tatouée sur la tempe et un nez long comme une péninsule ?

— Ouais ! Ça lui ressemble... Un méchant capoté, tout le monde en a peur dans le quartier... Mais vous n'avez pas répondu à ma question. Pourquoi avez-vous voulu m'empêcher de... ?

— Je n'ai rien voulu... Tout ce que j'ai fait, c'est d'éviter une collision avec ce camion qui m'a foncé dessus comme un fou... Je n'ai rien contre vous, John. Du moins pour le moment.

J.E. avait parlé d'autorité, fort et clair, sans crier. Pas question que le contrôle de cette confrontation lui échappe au profit du jeune homme replet. D'ailleurs, John lui paraissait plus âne que bouc, une espèce de benêt un peu enragé.

De son côté, Das, qui tenait sa tasse de café à deux mains près de son menton, donnait l'impression de vouloir maintenant rester à l'écart.

— Dites-moi, John, reprit l'enquêteur, pourquoi vouliez-vous suivre ce camion ?

— Ce n'est pas de vos affaires.

Sentant sûrement l'impatience de J.E. monter, Das choisit ce moment pour intervenir.

— Puis-je vous servir un café, monsieur... E. ? C'est le mélange personnel de Jérôme.

— Avec plaisir, mademoiselle.

J.E. sauta sur l'occasion. Tant mieux si, dans ce combat de tranchées, Das avait décidé d'être son alliée.

— Et toi, John, en reprendrais-tu un ?

— ... Ouais ! fut la réponse du malcommode.

Pendant qu'elle préparait les boissons, le dos tourné aux deux hommes, elle s'adressa à son jeune frère. Il était évident pour J.E. qu'elle avait l'habitude de la douce persuasion.

— John... Moi, j'ai confiance en ce monsieur. Je crois que vous cherchez tous les deux la même chose avec la même sincérité. Tu devrais lui parler.

— Ça, c'est ton problème, Das. Tu fais confiance à tout le monde. Tu ne veux pas voir la méchanceté... Tu penses que dans le fond tout le monde est bon. Un jour, tu vas te faire avoir.

— Mon petit frère, dit-elle en déposant les tasses fumantes devant les deux hommes, c'est bizarre ce que tu dis là. C'est le même reproche qu'on m'a adressé quand j'ai insisté pour engager Jérôme. Le même...

John baissa les yeux vers son café. Le coup, avec toute sa douceur, avait porté. Puis la femme se tourna vers J.E.

— Il ne faut pas en vouloir à John, monsieur. Regardez-le comme il faut. Avec son problème glandulaire, vous vous imaginez facilement la ribambelle de sobriquets qu'il a endurés. Il y a quelques années encore, John préférait rester dans son coin, à un point tel que bien des gens le prenaient pour un demeuré. Il ne fréquentait même plus l'école. Mais Jérôme fut le premier à le traiter comme un être ordinaire. Très vite, ils sont devenus amis.

Quand la fille porta la tasse à ses lèvres, l'odeur du café fit monter en elle tout un flot de souvenirs :

— C'est d'ailleurs Jérôme qui l'a convaincu de reprendre les études. Vous savez quoi ? Eh bien, mon frère termine cette année son cours collégial et en septembre, il entre à l'université en comptabilité.

L'admiration de la fille pour son frère ne pouvait passer inaperçue.

— Bon ! Bon ! O.K... Ça va faire, la sœur. J'ai compris...

Après un moment de silence, John s'adressa enfin à l'investigateur :

— Je surveille la Baltec depuis quatre jours...

— La Baltec ? l'interrompit J.E.

— Bien oui, la Baltec, c'est la vieille bâtisse en plein milieu du champ d'à côté, expliqua-t-il en indiquant de la main la direction de l'usine désaffectée. Le soir où il s'est fait tuer, Jérôme m'avait dit qu'il allait là. Il croyait dur comme fer qu'il s'y passait de drôles de choses.

— Quelles sortes de choses ?

J.E. huma son café avec plaisir pendant que le jeune homme répondait à sa question.

— Bien, je ne sais pas trop. En quatre jours, tout ce que j'ai vu, c'est le camion de Buzzie y entrer. Il est resté là un peu plus d'une heure, ensuite il est reparti à toute vitesse. Puis il y a eu vous, et c'est tout...

— Mais d'après vous, qu'est-ce qui attirait Jérôme vers cette usine ?

— Il disait que les maladies ne pouvaient venir que de là, répondit le jeune homme plus ou moins convaincu.

J.E. ne voulait pas laisser voir son intérêt. Les choses s'alignaient de mieux en mieux dans sa tête. Cependant, son petit moulin à réfléchir avait besoin de renseignements supplémentaires.

— Les maladies ? Quelles maladies ?

Cette fois, ce fut Das qui reprit la parole.

— Vous vous souvenez peut-être qu'hier je vous en ai parlé... Vous savez, dans un quartier démuni comme le nôtre, il est habituel d'y retrouver une plus grande concentration de certaines maladies. La malnutrition, l'alcoolisme et d'autres maux en sont souvent les raisons. Jérôme ne voulait pas considérer le phénomène sous cet angle. Pour lui, il ne pouvait s'agir de causes plus ou moins normales. Non, il y voyait l'ombre d'une main malfaisante... J'ai peur qu'aujourd'hui mon frère attrape la même lubie.

— À vrai dire, mademoiselle, reprit J.E., je ne sais pas s'il s'agit d'une lubie ou non, comme vous dites. Mais une chose est sûre : quelqu'un a tué Jérôme. Est-ce que les maladies et la Baltec ont un rapport avec cet événement ? Cela est tout au moins envisageable. Alors, je vous en prie, vous en particulier, John, ne vous mêlez pas de ça. Laissez faire les spécialistes. Je suis là et je vous jure que mon client a tout intérêt à connaître le fond de cette histoire... John, tenez-vous loin de cette usine.

Le futur comptable ne lui répondit que par un soupir exaspéré. J.E. l'ignora et continua sa pêche aux renseignements.

— Est-ce qu'un de vous deux saurait qui est le propriétaire de la maison où habitait Jérôme ?

La fille fit non de la tête, mais la question eut plus d'effet sur son frère.

— Ça doit être le bonhomme Robert. La moitié des taudis du quartier lui appartiennent. Il est toujours là pour empocher les loyers... Et si quelqu'un tarde, c'est Buzzie le fou qui lui rend visite. Quand il s'agit de faire des réparations, par exemple, plus moyen de le retrouver... C'est un égorgeur de pauvre monde.

— Voyons, John, tu oublies qu'il nous laisse cette maison pour presque rien.

— Bien sûr... En échange d'un loyer gratuit, il nous oblige chaque année à mettre des milliers de dollars en rénovation. La valeur de sa propriété monte et lui a l'air d'un philanthrope. Des fois, ma sœur, tu es si naïve...

Au moins, la discussion entre ces deux-là confirmait le doute de J.E. sur l'ostrogoth et son maître.

J.E. leva sa tasse, souffla dessus et avala une bonne gorgée. Un peu de paix coula en lui avec ce savoureux liquide. Si Buzzie et le désagréable M. Robert étaient associés, la belle Irène n'avait pas rapporté à Buzzie la couverture de J.E. Donc, elle n'avait rien à voir dans toute cette histoire. Satisfait, il reprit du café.

— La garderie est ouverte pas mal tard, laissa-t-il échapper sur un ton amical.

— Que voulez-vous ! C'est ma semaine de permanence. Nous offrons un service de garde jusqu'à une heure du matin. Cela accommode plusieurs de nos membres qui travaillent ou qui sortent le soir et qui n'ont pas les moyens de payer une gardienne.

J.E. reprit encore un peu de café et fit une mimique qui exprimait son plaisir.

— Délicieux. Bon, je ne vais pas vous retarder plus longtemps. Je suis à l'hôtel La Fayette, dit-il en déposant sa tasse. Si d'autres souvenirs vous reviennent, téléphonez-moi ou laissez-moi un message.

Mais, au même instant, une idée lui traversa l'esprit. Il fouilla dans la poche intérieure de son veston et en ressortit une photo. Il s'agissait de celle qui représentait une usine moderne. Il la montra à Das et à John.

— Ça vous dit quelque chose ? J'ai trouvé ça chez Jérôme.

J.E. remarqua que le regard du jeune homme avait changé.

— John ?

— ... Non, répondit ce dernier.

— John, vous n'avez rien à gagner à me cacher la vérité, répliqua l'enquêteur.

Fuyant les yeux de Joseph E., le frère de Das lui remit la photo.

— Ça ne me dit rien, cette photo. John s'entêtait à mentir. Que pouvait faire l'enquêteur ?

Le café et plus encore le truc aux tomates qui embaumait la pièce avaient ouvert l'appétit de J.E. Trop emballé par son enquête, il n'avait pas pris une bouchée depuis le petit déjeuner. Maintenant la nature réclamait son dû. Une fois l'estomac calmé, il réfléchirait mieux à tout cela.

La pluie avait cessé et, ô bonheur ! l'odeur sulfureuse ne l'avait pas remplacée.

Sous un ciel étoilé où brillait une demi-lune, J.E. huma un grand coup d'air.

Chapitre 15

Coups de cœur

J.E. se fit la réflexion qu'il serait bon, après tant d'années, de retomber amoureux.

Quelques heures plus tôt, en entrant dans le bar, Irène l'avait reconnu.

— Bonjour, monsieur le journaliste, ça fait plaisir de vous revoir.

BOUM avait fait le cœur de l'homme. Le sourire qu'elle lui avait envoyé n'était pas que professionnel, J.E. connaissait assez la vie pour s'en rendre compte.

Pour mal faire, on aurait dit que les événements s'en mêlaient, ce soir-là. Le bar débordait de clients bruyants et la fille courait d'une table à l'autre sans arrêt.

Puis un gros nuage passa dans l'esprit de J.E. Était-il attiré par l'idée de l'amour plutôt que par la fille elle-même, dont en fait il ne connaissait pas grand-chose ? À moins que ce ne soit sa sexualité qui le titillait, tout simplement.

Peut-être s'agissait-il d'un savant mélange ? Peut-être un jour apprendrait-il à se laisser aller à ses sentiments sans être tenté de toujours les analyser ? Est-ce que tout dans la vie devait être compris et maîtrisé pour pouvoir exister ? Est-ce que... ? Est-ce que... ? Est-ce que... ?

— Eh bien, vous, vous avez l'air de vous enliser du mauvais côté des choses.

Devant lui, Irène lui versait encore du café dans sa tasse.

— Je me disais que des fois j'ai le don de me compliquer la vie.

Déjà à un mètre d'elle, son odeur, suave métissage de parfum discret et de sueur fraîche, l'envoûtait. Soudain, sans en avoir honte, sans même se poser la question, il eut très envie d'elle... Cela lui fit du bien.

— Pourquoi ne vous installeriez-vous pas au bar ?

Puis elle ajouta en montrant la salle :

— Bientôt, ils vont se calmer. Nous aurons le temps de jaser un peu.

Prenant le sourire de J.E. pour un acquiescement, ce en quoi elle n'avait pas tort, elle apporta sa tasse au comptoir. J.E. suivit la tasse.

Accoudé au bar, J.E. flottait sur un nuage en attendant Irène. Tranquillement, des bribes de son enquête émergèrent comme des bulles à la surface de l'eau. Puis toutes ces parcelles s'assemblèrent.

« Sûrement à cause de son intérêt pour la garderie, le Jérôme s'aperçoit un jour de la fréquence élevée de certaines maladies dans le quartier. Un aussi grand nombre de fausses-couches, par exemple, ne peut difficilement s'expliquer par des causes normales. En fin observateur qu'il est, la direction des vents dominants, l'état lamentable des lieux et la quantité de produits qui y sont entreposés sans surveillance attirent l'attention du cuisinier sur la Baltec.

« Jérôme étant un homme méticuleux — la carte et ses picots le démontrent amplement —, il décide donc de prélever des échantillons sur les lieux et de les faire analyser pour en avoir le cœur net. »

Durant sa réflexion, J.E. sortit machinalement la photo qu'il avait présentée plus tôt à John et à Das et la déposa devant lui.

« Jérôme retourne plusieurs fois à l'usine et prend de plus en plus de risques. Mais c'est un homme qui a beaucoup de choses à se faire pardonner, pour lui, le jeu en vaut la chandelle. Puis, un jour, CRAC ! BOUM ! il se fait attraper. »

J.E. reprit une gorgée de café. De l'autre côté du comptoir, la fille, soulevant d'une main un plateau chargé de bouteilles de bière, lui fit un clin d'œil avant de retourner dans la salle.

Son raisonnement résistait, du moins la portion concernant l'enquête de Jérôme sur une contamination possible du quartier par la Baltec. Mais le reste s'annonçait un peu plus faible. On n'assassine pas les gens juste parce qu'on est négligent avec les produits qu'on entrepose. Bien des industriels véreux savent trouver dans les méandres de la loi suffisamment de trous pour se protéger contre leurs propres turpitudes. Ils n'ont pas, en principe, à recourir à des moyens extrêmes.

Malgré tout, J.E. n'arrivait pas à chasser de sa tête l'image de Buzzie et son aura bestiale.

— C'est votre jeu préféré ?

Sourire taquin aux lèvres, Irène lui indiquait la photo.

Penchée ainsi sur le comptoir, la blouse de la fille s'entrouvrait. L'enquêteur n'échappa pas à la tentation : du coin de l'œil, il devina dans l'échancrure la rondeur d'un sein. Ça et l'odeur excitante, si près... J.E. commençait à avoir très, très chaud. Il poussa du doigt la photo.

— Ça vous dit quelque chose ?

Elle prit la photo et pour mieux l'examiner se releva. Ce fut le coup de grâce... À cause de l'éclairage tamisé de la salle, il n'avait auparavant jamais remarqué la teinte de ses yeux. Ils étaient vert eau... J.E. sentit qu'il se noyait...

Mais la sonnerie du téléphone le sauva. La fille alla à quelques pas de là décrocher le récepteur. L'air se remit à circuler dans les poumons de J.E.

Irène revint presque aussitôt vers lui avec le téléphone dans les mains.

— Je suppose que vous vous appelez Joseph E. ?

— C'est pour moi ? fit-il en indiquant l'appareil.

— Oui, vous pouvez prendre la communication dans le hall. Il y a moins de bruit.

Il devait son sauvetage des eaux à un ange, Ange Toussaint. Elle lui révéla qu'elle avait déniché l'endroit où Jérôme Delisle avait confié ses échantillons. Mieux encore, elle connaissait les résultats de l'analyse.

— Il s'agit de quoi... ? BPC ? Drogue... Non... Ah, bon... Comment dis-tu ? Des biphényles polychlorés... C'est quoi, ça ?... Oh, *boy* !... Et l'autre... Du zinc... hum... Du nickel, hum... Je n'y comprends pas grand-chose. En clair, c'est quoi ?... Des boues de chaux... Ah, bon !... Tu sais quoi ? Nous sommes tombés sur une sale affaire: meurtre et déchets industriels... Demain, je vérifie à qui appartient la Baltec... Salut et merci.

J.E. raccrocha. Maintenant, l'histoire baignait dans des résidus d'opérations industrielles, de sales trucs nommés déchets dangereux.

J.E. avait toujours pensé qu'une tonne de règlements et de paperasses accompagnaient le moindre déplacement de ces cochonneries. Bien pire que Buzzie, il y avait le patron de celui-ci.

En retournant au bar, il prit dans son imperméable suspendu à une patère le sachet de poudre blanche étiqueté E-12.

Quelle saloperie cela pouvait-il bien être ? Le pauvre Jérôme était tombé sur de beaux dégueulasses !

Ange avait appris à l'enquêteur que les BPC étaient parmi les poisons les plus virulents créés par l'être humain. Pire, il y a la bombe atomique.

Gardant le sachet à la main, il reprit place au bar, mais pas dans le même état d'esprit qu'à son départ. La fille le rejoignit, mais son sourire enjôleur avait disparu.

— Cachez-moi ça tout de suite. Je ne veux pas d'histoire de drogue dans mon bar. Vraiment, monsieur E., vous me surprenez !

— Ça ? dit-il en balançant le sachet entre deux doigts. C'est pire que de la cocaïne. Ce n'est pas de la drogue, c'est littéralement le caca de l'humanité.

— Ce... Ce n'est pas de la drogue ? Vous me le jurez ?

— Promis, juré, craché. C'est une cochonnerie industrielle. Un échantillon de déchet.

J.E. remit la petite enveloppe de plastique dans sa poche et la fille un sourire sur son visage.

— J'ai regardé votre photo. Ce ne sont que des tuyaux et des échelles, une usine ou quelque chose comme ça... Mais j'ai pensé à un truc. Quand je suis arrivée cet après-midi, j'ai servi dans la salle Desgroseillers. Vous savez, les Japonais et leur bande de lèche-culs ?

— Oui, oui, dit J.E. en souriant.

— Eh bien ! Pour la circonstance, quelqu'un a accroché sur les murs de la salle plusieurs photos d'usines de la région. Je n'en suis pas sûre, mais il me semble y avoir vu un bâtiment du même genre. Les photos sont sûrement encore là, étant donné que demain le cirque recommence.

— Où est cette salle ?

— En sortant du bar à votre droite, au fond du corridor, la quatrième ou cinquième porte. Comme on n'a pas fini de ramasser, l'endroit doit être ouvert.

Il ne fallut pas une minute à l'investigateur pour s'y rendre. Sur les murs rose et gris s'alignaient une dizaine de photos représentant différentes installations industrielles. J.E. en fit le tour très vite. Trois s'apparentaient à la sienne. Sur l'une d'elles, parmi les personnes toutes casquées de blanc, il reconnut le visage désagréable de M. Robert.

La légende au bas de la photo le désignait comme président et directeur des opérations. Au-dessus, en lettres d'or, J.E. lut : « AIRPURBEC — CENTRE DE TRAITEMENT DES DÉCHETS INDUSTRIELS ». Et en plus petit : « Premier prix de l'excellence industrielle ».

La probabilité que le Jérôme, pour son plus grand malheur, soit passé entre les mains de Robert et Buzzie lui parut de plus en plus crédible. De tels salopards qui, sans vergogne et pire encore, en toute connaissance de cause, laissent traîner des bombes écologiques comme les BPC sont capables d'assassiner n'importe qui.

Pour croire à un hasard, il aurait fallu être imbécile. Il ne s'agissait pas d'une simple affaire de produits dangereux entreposés négligemment, mais d'un détournement frauduleux de déchets toxiques. Cela prenait une bonne dose de cynisme pour laisser à l'abandon de pareils immondices quand on était censé les détruire, les rendre inoffensifs.

Abasourdi par la révélation, J.E. quitta la pièce et, au lieu de se diriger vers le bar, il entra dans une cabine téléphonique et consulta fébrilement l'annuaire.

Avant d'insérer sa pièce de monnaie, il regarda sa montre : 0 h 10.

— Bonsoir, Das... Oui, c'est moi... Est-ce que votre frère est là ?... Das ? Das, pourquoi pleurez-vous ?... Où est passé John ?... Comment ça, il vous a fait une crise... ? Das, il faut me dire où est votre frère... Oui, oui... hum... Oui, je connais Airpurbec... Ne vous inquiétez pas, je m'en occupe.

À la vue de la photo, John avait tout compris. Se prenant pour un preux chevalier, l'idiot, après avoir fait promettre le silence à sa sœur, s'était précipité dans la gueule de la machine.

— Ponce Pilate de merde ! laissa échapper J.E. à voix haute.

L'idée lui vint d'avertir la police. Mais l'avertir de quoi, au juste ? Quelles preuves, pas même légales, mais au moins concrètes, pouvait-il avancer ? Bien sûr, il y avait la Baltec, mais les flics ne s'en approcheraient jamais sans mandat...

À Montréal, la crédibilité de l'enquêteur auprès

des services de police était telle que le seul tissu d'hypothèses qu'il détenait aurait suffi à les faire bouger. Mais ici, à Xville où il était peu connu, les choses se passeraient d'une autre manière.

Se rendant au bar, J.E. déposa sur le comptoir au moins le double de ce qu'il devait.

— C'est trop, dit Irène.

— Non, non, c'est correct...

J.E. hésita un instant, puis il dit:

— Irène, je dois absolument partir... J'aimerais bien vous inviter à manger un soir.

— Sérieusement ?

Elle griffonna quelque chose sur un bout de papier et le lui tendit. Il glissa le numéro de téléphone dans la poche de son pantalon, par-dessus son Zippo.

— J'y compte, dit-elle.

Puis elle ajouta:

— Vous n'êtes pas vraiment journaliste... ?

— Non. Enquêteur privé.

— Romantique.

— Pas tout à fait. Mais ça fait vivre son homme.

Il s'arrêta à la réception pour s'informer de la route à suivre, puis il disparut sans ramasser son imperméable.

Chapitre 16

La croisée des chemins

Le réceptionniste lui avait expliqué que, sur la route nationale, trois ou quatre kilomètres avant le pont, il y avait des feux de circulation et un motel. J.E. gara donc sa voiture tout près de l'intersection, dans la partie sombre du terrain du motel *El Castillo*.

Aux feux de circulation, perpendiculairement à la route nationale, un chemin menait uniquement à l'usine Airpurbec en contrebas, à moins d'un kilomètre de là. Entre J.E. et l'usine, caché de cette dernière par des buissons, un amas de chrome luisait sous la demi-lune et debout, appuyée sur ce tas, une silhouette impossible à confondre grillait une cigarette : John le pourfendeur de torts et son carrosse à pétrole.

À part cela, les alentours n'étaient que champs et fourrés.

Au début, l'enquêteur songea à prévenir le frère de Das du danger qu'il courait, mais la crainte qu'un échange bruyant n'attire l'attention sur eux l'en dissuada. Le futur comptable voulait jouer aux espions, eh bien, lui aussi ferait de même.

Peut-être qu'avec un peu de patience il récolterait quelque chose qui ressemblerait à un début de preuve acceptable par un tribunal. Ce qui ferait sûrement plaisir à son jeune client. Pour le moment, tout ce qu'il avait pour refaire une réputation à Jérôme n'était que conjectures, déductions et hypothèses. Un juge n'y jetterait même pas un coup d'œil dédaigneux.

J.E. sortit de sa Lynx et fouilla quelques instants dans le coffre du véhicule. Lorsqu'il trouva sa caméra vidéo, il comprit qu'il avait oublié d'en recharger les piles depuis sa dernière utilisation.

— Batêche ! Ça me ressemble !

Il remit le gadget inutile au milieu du fouillis et prit alors son appareil photo, un sac de chips et une cannette tiède de coca.

De retour dans sa voiture, équipé pour une longue veille, il voulut écouter en sourdine une cassette sur le boîtier de laquelle était inscrit à la main : *Stairway to Heaven.* Mais, à sa surprise, ce furent plutôt les premières notes de la *Septième Symphonie* de Mahler qu'il entendit.

J.E. se dit qu'au lieu de chercher à mettre ses sentiments dans un ordre parfait, il devrait s'occuper de sa voiture avant qu'elle ne se transforme en poubelle sur quatre roues.

Finalement, la septième de Mahler, surtout son troisième mouvement, n'était pas une mauvaise idée. J.E. baissa de quelques centimètres la vitre de la portière puis, à l'aide d'une allumette de bois, il s'alluma un bon Montecristo — son Zippo puait trop l'essence et aurait contaminé son cigare.

J.E., bien calé dans son habitacle qui, au rythme des feux de circulation, se teignait en rouge, vert et jaune, laissa folâtrer son cœur entre une blouse échancrée et des yeux vert eau...

À 5 h 48, un peu avant l'aurore en cette saison, un camion quitta l'usine et remonta la côte vers la route nationale. John, l'amateur, le suivait de trop près pour passer longtemps inaperçu. Le six-roues lourdement chargé s'arrêta devant J.E. au feu rouge. L'enquêteur reconnut l'australopithèque dans la cabine et, à voir de quelle façon le néo-nazi tripotait son rétroviseur, celui-ci avait sans aucun doute constaté la présence de John.

Au moment où le feu passa au vert et juste avant que le camion s'ébranle en staccato, J.E. remarqua que Buzzie éloignait de son oreille le téléphone cellulaire.

J.E. compta jusqu'à vingt puis, restant à une distance suffisante pour ne pas être remarqué, emboîta le convoi.

Chapitre 17

Double jeu

Il n'avait vraiment pas eu besoin du cours Divination-projective-comparée 104 pour comprendre où le camion et John à sa suite se rendaient. À un certain moment, prenant une autre route, il avait pu les devancer et ainsi il arriva avant eux à la Baltec.

Il eut suffisamment de temps pour garer sa voiture plus loin et ensuite aménager sommairement une cache dans le terrain vague. De son poste d'observation, J.E. possédait une vue imprenable sur le chemin bordant le champ, la garderie et surtout la Baltec. Le soleil se levait rond et clair. Cela lui permettrait de prendre de bonnes photos.

Quelques minutes plus tard, des éclats de lumière sur son pare-brise, le camion dévala le chemin bordé d'arbrisseaux. Puis, ralentissant à peine, il effectua une manœuvre pour se présenter à reculons à la grande porte-garage de la bâtisse délabrée. Buzzie, bardé de verres fumés, sauta du camion et, comme le singe qu'il était, se gratta l'entrejambe avec insistance. Pour son plaisir, J.E. prit quelques photos. CLIC, CLIC, CLIC.

Pendant ce temps, John arriva à son tour, mais il resta dans sa voiture qu'il gara près de la garderie, à peu près au même endroit où J.E. l'avait surpris la veille. Était-ce la crainte ou un brin de sagesse qui conseillait au cégépien de rester dans son carrosse à pistons ? J.E. ne le savait pas, mais cela le rassurait de voir enfin le jeune homme faire un geste sensé.

Un bruit provenant de l'usine désaffectée capta de nouveau l'attention de l'enquêteur. La porte finissait de se relever et déjà Buzzie remontait dans son véhicule. J.E. entendit le moteur gronder, puis à toute allure le camion s'engouffra en marche arrière dans la vieille bâtisse. Il y eut un vacarme. Au même moment, le six-roues, qui était complètement à l'intérieur, s'immobilisa.

J.E. se retourna pour vérifier si tout ce fracas n'avait pas attiré le futur comptable. Il découvrit avec stupéfaction une autre automobile garée derrière le spoutnik. M. Denis C. Robert, vêtu élégamment d'un complet-veston, en descendit et se dirigea tout bonnement vers John.

Rendu à la voiture, le pollueur sans scrupules cogna à la vitre de la portière du chauffeur. Celui-ci l'abaissa et il s'ensuivit une discussion assez longue où, à quelques reprises, le bonhomme montra la Baltec de sa main qui tenait, elle aussi, un téléphone cellulaire.

John sortit de sa voiture et la conversation continua. Il avait l'air passablement contrarié. Pendant ce temps, J.E., qui était trop loin pour entendre quoi que ce soit, prenait d'autres photos.

Après avoir levé les épaules deux ou trois fois, l'escroc tourna le dos au frère de Das et marcha vers l'usine. John hésita un instant, puis trottina pour le rejoindre. Un peu plus tard, les deux hommes entrèrent dans l'entrepôt de déchets dangereux. Comme par politesse, Denis C. Robert s'écarta pour que John puisse y pénétrer en premier...

Qu'était donc cette nouvelle histoire ? Pourquoi John avait-il suivi ce criminel sans opposer de résistance ? J.E. s'était-il fait berner ? Le garçon jouait-il double jeu ?

L'enquêteur savait qu'à ce stade-ci il devrait avertir la police. Mais sa curiosité l'emportait sur sa prudence. J.E. voulait apprendre tout de suite pourquoi John trahissait ainsi jusqu'au souvenir de son prétendu ami Jérôme.

Se courbant pour passer inaperçu, J.E. marcha vers la Baltec et s'y glissa en catimini.

Chapitre 18

Et ta sœur ?

En reculant dans le bâtiment de la Baltec, le camion avait provoqué un immense bordel.

Des barils écrasés et autres contenants défoncés gisaient un peu partout pêle-mêle. J.E. évita de marcher dans une matière brunâtre et huileuse qui pouvait bien être une mare de ces abominables BPC.

Un peu plus loin, toujours sur le plancher de cet entrepôt de la mort, à l'endroit où une chose transparente et visqueuse entrait en contact avec une traînée d'une matière granuleuse et jaune, il se produisait une espèce de bouillonnement. De plus, ça ne sentait vraiment pas la rose là-dedans, ni le lilas d'ailleurs.

Malgré l'arrivée du jour, les lieux étouffaient dans une demi-obscurité. J.E. progressait à pas de souris vers le centre de l'entrepôt et se servait des piles de barils et de boîtes pour se dissimuler.

Il ne voyait pas encore les trois hommes, mais il entendait nettement John s'énerver.

— Où est ma sœur ? Qu'est-ce que vous lui avez fait ?

— Gros épais ! (C'était la voix de l'épouvantable homme d'affaires.) Tu n'as pas encore compris qu'elle n'est pas ici, ta sœur ? C'était juste un truc pour t'attirer, maudit paquet de graisse.

— Mais ma sœur, où est-elle ?

J.E. n'était plus qu'à quelques mètres de la scène. Accroupi entre deux tonneaux longs et étroits, il distingua l'homme au complet-veston qui pointait son revolver sur un John en sueur. Le pauvre bougre avait les yeux exorbités et tremblait de tous ses membres. À son insu, derrière lui, arrivait le sournois tatoué avec dans sa main un madrier.

J.E., le souffle coupé, réalisa trop tard ce qui allait se passer. Sans hésiter, dans un mouvement gracieux comme un ballet, l'animal assena à toute force un coup de son gourdin sur la tête de John Daskalopoulos. Pendant un quart de seconde, le malheureux ressembla à un pantin désarticulé par une décharge électrique, puis il s'effondra mollement. La matraque improvisée avait éclaté et un des morceaux siffla à l'oreille de l'investigateur.

— Ta sœur ! Ta sœur ! Tu vas voir, je vais m'en occuper, moi, de ta sœur ! dit Buzzie en mimant du bassin un geste obscène.

Évidemment, à cause du bruit même très faible, J.E. n'osa pas prendre de photos. De la manière dont les deux hommes étaient placés, l'enquêteur ne pouvait plus battre en retraite sans prendre le risque d'être découvert.

— Aïe, boss ! Pensez-vous que je l'ai clenché* ? reprit Buzzie tout émoustillé.

— Ça n'a pas d'importance, il va flamber avec le reste.

— Vous êtes sûr que c'est une bonne idée ?

Écoute, le taon, ça fait quatre ans qu'on empile toutes sortes de cochonneries ici, il n'y a presque plus de place. De toute façon, je suis en passe de vendre Airpurbec. Ce sera au nouveau propriétaire de s'arranger à son tour pour faire du foin. Il va vite s'apercevoir que la haute technologie, ça coûte cher à opérer. En tout cas, ça ne vaut pas la débrouillardise.

L'affreux Robert trouva sa dernière remarque particulièrement fine et entraîna son sbire dans son rire. J.E., de son côté, commençait à ressentir des malaises gastriques, qui n'étaient pas dus uniquement aux émanations toxiques.

— Je vous dis, boss, que ça va faire du bruit quand tout ça va flamber. On va avoir tout le monde sur le dos.

— Ne t'en fais pas. Toutes les marques et les numéros de série ont été effacés. Personne ne pourra rien

---

* Assassiné.

retracer, même pas le vieux camion. On a les mains propres, mon grand !

J.E. voulait s'échapper de là, mais les deux abominables, qui se croyaient à l'abri d'oreilles indiscrètes, continuaient leur conversation trop près de lui.

— Vous pensez pas qu'on devrait attendre le départ des Japs ?

— Au contraire, tête de nœud ! Ils n'ont pas voulu de mon terrain, ici à Xville... Un bon petit scandale écolo va les convaincre de ne pas acheter celui de la Corporation de développement. Ils vont avoir assez peur, ces Jaunes-là, qu'ils voudront à tout prix s'établir plus loin. De même, je me ramasse avec de maudites bonnes chances de leur refiler mon lot près des *States*...

Le thermomètre gratta son crâne chauve, puis il enchaîna :

— De toute façon, je ne veux plus attendre. Il y a trop de monde qui tourne autour de la Baltec : ce gros épais-là, le cuisinier de l'autre jour, pis le maudit *journaleux* qu'on n'a pas encore attrapé.

— Bon... O.K. d'abord. Je continue à répandre l'essence comme vous me l'avez demandé.

— N'oublie pas ! Tu attends au moins trois quarts d'heure après mon départ avant d'allumer la torche.

Les deux hommes se déplacèrent vers l'autre extrémité de l'entrepôt. J.E. jugea le moment propice pour déguerpir. Il fallait prévenir la police sans tarder et, tant qu'à y être, les pompiers de même qu'une ambulance. J.E. aurait préféré ne pas penser aux conséquences de la catastrophe écologique qu'allait provoquer l'incendie.

Anxieux, il entreprit sa retraite mais, trop préoccupé de ne pas être vu, il ne remarqua pas qu'il mettait les pieds dans une flaque graisseuse et verdâtre. Il glissa, perdit l'équilibre et bouscula une pyramide de barils qui dégringolèrent dans un tintamarre. J.E. s'étala de tout son long, entraînant dans sa chute un petit tonneau bleu clair. Son contenu, des seringues usées et des tampons souillés, se déversa sur l'enquêteur.

Quand il releva la tête, il vit à deux pas de lui le boss, arme au poing.

— Tiens ! tiens ! Le *journaleux,* il ne manquait plus que lui.

Un bruit insolite que J.E. estima menaçant attira son regard dans une autre direction. Il eut tout juste le temps de reconnaître la botte qui s'approchait à grande vitesse de son visage.

Ensuite, le grand noir. Plus d'image, plus de son.

Chapitre 19

Le vice de Buzzie

Au début, tout était vaporeux : une brûlure imprécise sur le visage, un mal de tête flou et insidieux, un souvenir confus d'une chaussure militaire, un poids incertain sur les jambes, une vague impression d'avoir les mains attachées et d'obscurs relents d'essence.

Il ouvrit les yeux et d'effroyables certitudes s'entrechoquèrent dans son moulin à penser tout déboîté. J.E., les mains liées dans le dos et le corps de John en travers sur les jambes, se trouvait en fort mauvaise posture.

L'enquêteur observa que le jeune homme, malgré le coup sur la tête, respirait faiblement. Tant mieux ou tant pis, il n'aurait su le dire, vu l'état de la situation. Un GLOUGLOU continu ainsi qu'un sifflotement qui se rapprochait le tirèrent de sa torpeur. Bizarrement, il pensa à la chanson *Siffler en travaillant*.

Il était toujours dans l'entrepôt et une écœurante odeur d'essence pénétrait dans ses narines. Devant lui, à deux mètres, sur un large tonneau, trônait à côté de son appareil photo ouvert une lampe à souder au milieu de papier journal froissé.

Il vit arriver Buzzie, le laquais de l'infâme, qui, sans lui jeter un coup d'œil, se pencha sur le tonneau. Puis la main du bachi-bouzouk s'activa dans des gestes courts et nerveux. L'espace silencieux résonna sous une série de TCHIC, TCHIC, TCHIC, CRRRRR, TCHIC, TCHIC... On aurait dit un alchimiste occupé à une mixture diabolique.

Sans se redresser, il fouilla dans sa poche arrière et en retira un petit tube cuivré qu'il fit disparaître à moitié dans la longue tranchée qui lui servait de narine.

C'est à ce moment qu'il remarqua que J.E. avait repris ses esprits. Brisant son geste, il déposa le cylindre qui émit un son creux, attrapa la torche et se dirigea vers l'enquêteur.

— Bonjour, monsieur le pouilleux, dit-il sur un ton enjoué. On arrive juste à temps pour assister au spectacle. Fais-toi-z'en pas, je t'ai réservé la première loge.

Il dévissa la valve au-dessus de la bonbonne de la torche, puis d'une main s'empara d'un machin qui ressemblait à une immense épingle de sûreté et la passa devant le bec où le gaz chuintait. Le briquet remplit son office et une flamme bleue et pointue siffla.

De son côté, J.E. ne chômait pas. Sentant une certaine élasticité dans les liens, il avait commencé à y faire jouer ses poignets. Mais la partie n'était pas gagnée. Il sursauta quand l'affreux lui passa la flamme près du visage.

— Tu vas brûler, mon sacripant... Le boss avait bien de la peine de ne pas pouvoir te faire ses adieux. Tu sais comment ils sont, ces *big shots*-là. Toujours à courir d'un cocktail à l'autre. Ce matin, c'était un truc de presse sur l'aménagement du territoire. C'est ben triste que tu manques ça.

Puis, en riant, l'homme-de-main-pas-de-tête-pas-de-cœur déposa la torche allumée sur le tonneau. Au moment où il s'apprêtait à reprendre son activité nasale, il ramassa avec deux doigts un objet mou et le tendit vers l'investigateur.

— Ah oui, faut que je te dise merci pour ça.

Il s'agissait du sachet étiqueté E-12. J.E. comprit la méprise du gros nez — on aurait cru une boîte à ciseaux.

— Je m'en suis préparé une ligne longue comme le bras. On va voir si les *journaleux* de chiens écrasés ont de la bonne poudre, dit-il en montrant le baril.

— Euh... Buzzie, je pense que ce n'est pas ce que tu crois.

Mais, Satan-de-merde-de-bordel, pourquoi prenait-il la peine d'avertir son ignoble tourmenteur ?

— Ben moi, je pense que tu penses trop. Où tu t'en vas, t'auras pas besoin de te geler le nez.

Puis Buzzie, dans une inspiration à la mesure de son appendice, renifla d'un trait tout ce qu'il avait préparé si méticuleusement.

L'inhumain personnage se redressa, un sourire figé imprimé sur le visage. J.E. attendit anxieusement une réaction quelconque... La déception le gagnait quand il remarqua les yeux révulsés de Buzzie.

Puis, tout se passa très vite. Ce furent d'abord les mains collées au visage en même temps qu'un cri déchirant, ensuite une mousse rosâtre et pétillante s'écoula en gros grumeaux du nez de Buzzie. Quelques fractions de seconde plus tard, le monstre fut parcouru de tremblements désordonnés.

Dans le délire de sa douleur, il bouscula le tonneau. Sous le choc, la torche vacilla en larges cercles avant de chuter. Toujours allumée, elle se mit à rouler sur le sol, semant ici et là sa flamme.

D'un vil coup de pied, J.E. repoussa John encore inconscient. L'enquêteur avait suffisamment étiré ses liens pour les faire glisser avec quelques contorsions sous ses fesses, puis le long de ses jambes.

Autour de lui les flammes couraient comme des chiens fous en se répandant, tandis que les fumées se faisaient de plus en plus opaques et acres. Plus loin dans la vieille bâtisse, des bruits métalliques et des cris lui indiquaient que Buzzie, de son nom véritable Jean-Pierre Laferrière, continuait d'agoniser.

Les poignets toujours attachés, J.E. s'empara d'un des pieds du frère de Das, l'écrasa entre son coude et ses côtes et, sans ménagement, traîna le jeune homme à l'extérieur.

À une trentaine de mètres de l'usine, il abandonna son fardeau et, sans s'occuper de sa fatigue, courut à toutes jambes vers l'habitation la plus proche, c'est-à-dire la garderie.

Épilogue

— Mais pourquoi il faisait ça, M. Robert ?

La question d'Éric ne s'adressait pas à quelqu'un en particulier. Ils étaient tous là dans le bureau : la mère, le beau-père et le garçon face à la patronne. J.E., le visage tuméfié, se tenait quant à lui en retrait de la sainte famille bien propre dans ses beaux atours.

L'enquêteur avait eu droit aux félicitations et remerciements de circonstance. Mais, occupé à chasser les nouveaux fantômes que l'aventure lui avait laissés, il resta peu loquace durant tout l'entretien. À peine échappa-t-il un sourire amusé devant l'étonnement des trois personnes quand elles aperçurent la patronne déguisée en vieille fille des années 30. Ils la prirent sûrement pour la sœur aînée ou la tante de la rousse fatale qu'ils avaient rencontrée quelques jours plus tôt.

À l'exception d'une brève apparition d'Ange Toussaint venue expliquer en détail les implications d'ordre chimique des déchets dangereux, la patronne mena la rencontre en solo derrière son bureau, comme une bonne maîtresse d'école.

— Eh bien, voilà, jeune homme. Il existe des gens qui n'ont jamais assez d'argent. Pour ce forban, il était sûrement plus rentable de se débarrasser ainsi des déchets qu'on lui confiait légalement en toute bonne foi. Un tel bazardage, tu peux comprendre, lui coûtait bien moins cher que des opérations légales de stabilisation ou de destruction de ces matières dangereuses.

Le garçon resta songeur un certain temps.

— Mais pourquoi il n'y aura pas de procès ?

La patronne se pinça les lèvres avec deux doigts, puis avec un seul, remonta ses lunettes.

— Nous avons plutôt dit qu'il est peu probable qu'il y en ait un.

J.E. savait bien que ce coup était le pire à encaisser pour un esprit encore plein d'idéaux, conscient que lui-même n'arrivait pas à l'encaisser. C'est pourquoi il prit la parole.

— Si jamais, mais c'est loin d'être sûr, John Daskalopoulos sort de son coma et est en mesure de témoigner, peut-être, je dis bien peut-être, que la couronne envisagera de procéder. En attendant, ce n'est que ma parole contre celle de M. Robert.

À ce moment-là, J.E. regarda Éric dans les yeux pour être sûr que le garçon suivait bien son raisonnement.

— Même si tout le monde le sait, il n'y a aucun moyen de prouver légalement que ces cochonneries entreposées à la Baltec provenaient d'Airpurbec. Dans l'état actuel des choses, on ne peut remonter jusqu'à la source. De plus, le salaud se paie de longues vacances aux États-Unis où la police ne viendra pas l'inquiéter. Et, si l'on n'envisage pas un procès, il est impossible d'avoir un mandat d'extradition.

— C'est pas juste, ajouta tristement le jeune garçon.

— En effet, Éric, ce n'est pas juste.

J.E. ne crut pas utile de préciser que les représentants de M. Robert avaient quand même réussi à vendre aux Japonais le terrain près de la frontière...

Puis la conversation retourna à des choses plus simples, et J.E. à son mutisme. La patronne glissa en douce la « douloureuse », majorée de quelques frais. Dans ce domaine, la patronne était un as.

Pendant ce temps, la main plongée dans la poche de son pantalon, J.E. tripotait son Zippo.

Comme d'habitude, la patronne ne se leva pas lorsque les clients partirent.

— Joseph, dites-vous bien que, sans votre intervention rapide, les pompiers n'auraient pas réussi à réduire un tant soit peu les dégâts... Prenez donc cette semaine de vacances que je viens de vous offrir, ajouta-t-elle avec un sourire plein d'amitié.

Joseph E., toujours la main dans sa poche, hésitait entre son Zippo et un bout de papier froissé où avait été griffonné à la hâte un numéro de téléphone.

Table des matières